Cher Journal

Prisonniers
de la grande forêt

✕ ✕ ✕

Anya Soloniuk,
fille d'immigrants ukrainiens

MARSHA FORCHUK SKRYPUCH

Texte français de Martine Faubert

Éditions
SCHOLASTIC

Ce journal appartient à Anya Soloniuk
Village d'Horoshova
Comté de Borschiv
Province de Galicie
Autriche-Hongrie
13 avril 1914

261-3, rue Grand Trunk, Montréal, Canada
10 février 1914

Chère Anya,

Je suis désolé de ne pas pouvoir être auprès de toi en ce jour de la fête de sainte Anne, ta patronne. J'ai du mal à croire que ma petite fille a maintenant 12 ans. Je t'envoie ce carnet afin que tu y consignes toutes les expériences que tu vivras à partir du moment où tu quitteras notre cher village pour traverser l'océan et venir me rejoindre.

Ton Tato qui t'aime

Lundi 13 avril 1914, tôt le matin

Chez nous, dans notre beau village d'Horoshova

Cher journal, ta reliure est faite de cuir fin, rouge comme celui de nos bottes de danse, et tes pages sont de la couleur du beurre fraîchement baratté. Quand je te tiens contre ma joue, tu sens bon le frais, comme Tato quand il vient de se raser.

Je suis contente d'avoir un journal, mais je serais encore plus contente si mon père revenait chez nous. Il veut plutôt que nous partions pour le Canada. Mama m'a montré un dessin de la maison qu'il a trouvée pour nous. Comparée à notre petite maison, elle est énorme. Elle est faite de petites briques rectangulaires, au lieu d'être

3

recouverte de crépi comme toutes les maisons d'Horoshova. Elle est haute comme trois de nos maisons empilées les unes sur les autres! À chaque étage, il y a une porte et toute une série de fenêtres, et à l'extérieur, il y a un grand escalier de métal qui monte jusqu'en haut! Il doit y avoir une pièce à chaque étage, dans cette énorme maison canadienne, peut-être même deux pièces! Ça va être amusant, de monter et descendre ces marches en courant!

Je me demande si je vais avoir ma propre chambre. Pas comme ici où tout le monde dort dans la même pièce. J'adorerais avoir une chambre tout en haut de la maison. Je m'y sentirais comme sur le toit du monde!

Il y a un chemin tout plat qui passe devant la maison du Canada. Il ne ressemble pas aux chemins de terre que nous avons ici. Je me demande de quoi cette route est faite. Halyna dit que les chemins sont pavés d'or, mais si c'était vrai, Tato l'aurait sûrement dit à Mama. Le long du chemin, il y a de hautes lanternes. Dans une de ses lettres, Tato nous a expliqué qu'on les appelait réverbères. Il paraît qu'ils restent allumés toute la nuit afin que les gens puissent y voir clair quand il fait noir.

Sur le dessin de Tato, la porte de la maison donne directement sur la rue. Il n'y a pas de jardin ni de muret de pierres. Alors, où plante-t-on des fleurs? Est-ce qu'il y a des fleurs au Canada?

Là-bas, les maisons sont si rapprochées que j'ai l'impression qu'elles se touchent. Ce sera bizarre, d'avoir des voisins si près de nous. J'espère qu'ils seront gentils.

Comment fait-on pour aller dans la cour arrière? Tato a dessiné de gros tas de neige. Il dit qu'il y a plus de neige au Canada que chez nous, mais on ne le croirait pas vraiment.

Est-ce que notre maison du Canada va être du même bleu qu'un œuf de merle, comme notre maison d'ici?

Notre nouvelle maison se trouve dans une rue nommée « Grand Trunk ». Mama dit que le mot anglais « grand » signifie « gros » et que « trunk » veut dire « malle ». D'après moi, ils ont donné à cette rue le nom de Grand Trunk parce que les maisons ont toutes l'air d'énormes malles carrées.

Aujourd'hui, j'ai aidé Mama à faire nos bagages pour le Canada. Nous pouvons prendre un coffre en bois chacun, même Mykola. Nous avons mis tous les *babka* séchés dans un coffre. J'ai été surprise, quand Mama a choisi son coffre à trousseau et qu'elle en a tapissé l'intérieur avec sa jupe de mariage toute brodée et son voile. Elle m'a dit qu'elle tenait à les emporter avec elle, qu'il n'y avait pas de place dans les autres coffres et que la brioche sèche ne les abîmerait sûrement pas.

Mama a mis un cruchon de vodka dans mon coffre, avec deux cruches d'eau et un pot de miel. Ça ne laissait pas beaucoup de place pour mes affaires, mais Tato nous a bien avertis d'apporter surtout de quoi manger et boire, et de ne pas essayer de prendre avec nous toutes sortes de souvenirs. Je voulais emporter le *tsymbaly* de Volodymyr, mais Mama a dit qu'il n'y avait pas de place. Je sais qu'il est trop long pour entrer dans un de nos coffres, mais j'ai le cœur brisé à l'idée de le laisser ici. Je viens juste de commencer à apprendre à en jouer et, chaque fois que j'exécute un morceau, je pense à mon pauvre Volodymyr. J'ai dit à Mama que nous pourrions l'envelopper dans un édredon, et j'ai même offert de le transporter, mais elle a refusé.

Mama m'a fait mettre la pipe en bois de Dido entre mes vêtements, et aussi la cuillère en argent qui est dans la famille depuis toujours. J'y ai aussi glissé un petit pot rempli de mes précieuses perles de verre. Elles ne prennent pas beaucoup de place, et je ne sais pas si on fabrique des *gerdany*, au Canada. *Oy!* Je ne veux pas quitter Horoshova. Nous emportons aussi un oreiller de duvet. Mama a dit que ça empêcherait les cruches et les pots de s'entrechoquer.

Dans le coffre de Baba, nous avons mis des fruits séchés, des graines de tournesol et encore de l'eau. Mama a tapissé l'intérieur de ce coffre-là avec le linge de maison brodé de son trousseau et y a mis des vêtements de rechange pour chacun de nous. Il restait de la place pour le petit manteau de Mykola. Baba a enveloppé l'icône dans une broderie aussi ancienne que la cuillère. Elle l'a bien calée au milieu de nos vêtements de rechange afin de lui éviter les chocs. Elle voulait emporter sa vaisselle et sa meule à céréales, mais Mama lui a dit qu'il n'y avait pas de place. Elle a tout de même réussi à caser son *kystka* pour décorer les œufs de Pâques. Le coffre de Mykola ne contenait que trois autres manteaux en peau de mouton. Il était tellement plein que j'ai dû m'asseoir sur le couvercle pendant que Mama l'attachait avec de la corde.

Mama a dit que je pouvais aller porter le *tsymbaly* de Volodymir chez Halyna. Halyna aimait mon frère autant que nous, alors je suppose que, si je ne peux pas garder le *tsymbaly*, la meilleure chose à faire, c'est de le donner à Halyna.

Plus tard

Je suis tellement triste de quitter Halyna! C'est ma plus chère amie au monde. Baba lui a aussi donné la vaisselle. Elle est presque de la famille, maintenant, à Horoshova.

Je ne veux pas partir.

Non.

Non.

Plus tard

Baba a dit à Mama qu'elle était trop vieille pour partir. Baba donne toujours son âge comme excuse pour ne pas faire quelque chose, mais elle n'est pas si vieille que ça. Elle a mal aux jambes, c'est vrai, mais ses mains sont toujours aussi habiles, et son esprit, toujours aussi vif.

Mama dit que Tato a vendu notre terre afin de payer notre voyage jusqu'au Canada. Baba est donc obligée de partir, tout comme moi.

x x x x x x
x x x x x x
x x x x x x

Vendredi 17 avril 1914

Hambourg, en attendant le bateau

C'est fait. Impossible de revenir en arrière. Un brin de lilas est pressé entre les pages de mon journal. C'est tout ce que j'ai pour me rappeler ma chère Halyna. Je suis si triste que c'est à peine supportable.

Ce qui ne me manquera pas :
– cet idiot de Bohdan;
– le prêtre;
– le seigneur de notre région.

Ce qui va me manquer :
– mon cher, cher frère, Volodymyr;
– Halyna;
– mes poules et mes tournesols, mon jardin, ma chère petite maison d'Horoshova;
– le Dniestr (le fleuve);
– les magnifiques cerisiers, qui sont justement en fleurs en ce moment.

Une question que je me pose : y a-t-il des cigognes au Canada?

Plus tard

Nous nous sommes arrêtés dans une pension à Hambourg. Notre bateau n'est pas encore rentré de son dernier voyage, alors nous devons l'attendre. Je n'ai pas l'habitude d'être entourée d'autant de monde. Baba, Mama, Mykola et moi sommes entassés dans une petite chambre et je n'ai même pas une petite table pour écrire, mais ça ne me dérange pas; j'écris sur mes genoux. La chambre sent le vieux poisson, et les cloisons sont si minces qu'on entend tout ce que font les voisins. Quelqu'un vient justement de roter!

Les rues de Hambourg sont pavées, et les maisons sont tassées les unes contre les autres, comme au Canada. Il y a tellement de monde dans les rues, provenant d'endroits si différents, que j'en ai la tête qui tourne. Je suppose que tous ces gens attendent aussi un bateau.

Samedi 18 avril 1914, tôt le matin

Toujours en train d'attendre le bateau!

Déjà le samedi de Pâques, mais nous sommes loin de chez nous et aussi de Tato. Mama n'a jamais manqué la messe du dimanche de toute sa vie. Qu'est-ce que nous allons faire, demain? Le dimanche de Pâques, ce n'est pas n'importe quel dimanche! Je me demande si Tato, lorsqu'il a acheté nos billets, s'est rendu compte que nous allions voyager pendant la saison de Pâques.

Plus tard

À Hambourg, on livre le lait dans des voiturettes attelées à d'énormes chiens. C'est très drôle à voir!

Plus tard

Nous aurons assez de provisions, mais à condition de ne pas être obligés de rester trop longtemps à Hambourg.

Avant notre départ, Baba a fait griller deux poulets et les a emballés dans un linge, avec du fromage, du *babka* frais et un cruchon de cidre. Nous devons manger tout ça avant que ça se gâte. En fait, c'est ce que nous mangeons depuis que nous sommes arrivés à Hambourg. Il ne reste presque plus rien de ces provisions, et je sais que Mama ne veut pas que nous entamions notre réserve de pain sec parce que nous en aurons besoin quand nous serons en mer.

Hier après-midi, je suis sortie avec Mama pour voir si nous ne pourrions pas trouver un endroit près d'ici où acheter des produits frais à bon marché, au cas où nous manquerions de nourriture. Nous n'irons pas bien loin avec nos *kronen*. Nous avons de l'argent canadien, mais nous ne pouvons pas nous en servir. Tato nous a dit qu'au Canada, on laissait entrer les gens dans le pays seulement s'ils pouvaient prouver qu'ils avaient de l'argent. J'ai hâte que le bateau arrive.

Plus tard

Mama est venue tantôt et m'a dit de laisser là mon crayon et mon journal parce qu'elle avait besoin que je l'aide avec Mykola. Il était de mauvaise humeur, et Mama avait peur qu'il tombe encore malade. Elle est restée toute la nuit à son chevet. J'aimerais bien pouvoir l'emmener prendre l'air dehors, mais nous essayons de sortir le moins possible. Vois-tu, cher journal, Tato nous a avertis de nous faire très discrets, pendant que nous attendions le bateau. Il a dit que, comme nous n'avions pas d'homme avec nous pour nous protéger, nous pourrions nous faire voler! En tout cas, de la fenêtre, l'endroit a l'air intéressant.

Mama s'est servie d'un peu de nos provisions fraîches pour préparer le dîner. Mykola fait la sieste en ce moment, et Mama m'a demandé de rester auprès de lui et de ne pas faire de bruit. Elle a dit que si j'écrivais mon journal, ce serait parfait. Pendant ce temps, Baba et elle pourraient bavarder. Je veux noter tout ce qui s'est passé quand nous avons quitté Horoshova, afin de ne jamais l'oublier.

Le jour de notre départ, nos voisins se sont rassemblés devant chez nous pour nous dire adieu. Halyna était là, tenant le *tsymbaly* de Volodymyr. Je savais que c'était la dernière fois que je la verrais, et aussi la dernière fois que je verrais le *tsymbaly*, alors j'ai failli me mettre à pleurer. Roxolana était là, elle aussi, et même Danylo. Il ne manquait que Bohdan, mais de toute façon, je le déteste, lui. Je n'arrive pas à croire que je ne reverrai plus jamais mes amis.

Je suis montée dans la voiture à cheval, puis j'ai aidé Baba à le faire. Halyna m'a tendu un brin de lilas. Je l'ai glissé sous mon nez pour en humer le doux parfum. Maintenant, chaque fois que je le touche, je pense à Halyna, à mon frère et à notre maison.

Quand la voiture est sortie de notre cour, les cloches de l'église se sont mises à sonner. Tous nos voisins pleuraient. Je regardais droit devant moi, en pensant au lilas.

Manuschak, le forgeron, nous a emmenés jusqu'à la gare, à Chernivtsi. Tout le long du voyage, j'ai regardé la

campagne autour de moi. Je voulais me rappeler les moindres détails :
- les collines onduleuses et notre cher Dniestr;
- les cerisiers en fleurs;
- une vieille Baba portant un fichu et conduisant sa vache avec une corde;
- un nid de cigogne perché dans un arbre qui surplombe la route;
- la forêt au feuillage de toutes les teintes de vert, et au sous-bois tapissé de fleurs sauvages;
- l'église et son cimetière, où Dido et Volodymyr sont enterrés.

Horoshova est un endroit magnifique. Pourquoi devons-nous partir?

Mais...

Il y a le seigneur, l'armée, le prêtre et notre dette. Mama a dit que nous devions tellement d'argent au seigneur que mon arrière-arrière-arrière-arrière-petit-fils lui en aurait encore dû une partie si nous n'avions pas tout vendu afin de le rembourser.

Tato dit qu'au Canada, tous les gens sont égaux. Il n'y aurait donc pas de seigneurs, là-bas?

Quand nous avons salué Manuschak de la main, à la gare, Baba s'est mise à pleurer. En voyant la voiture s'éloigner, elle s'est même mise à la suivre, mais Mama l'a étreinte et lui a dit : « Tout ira bien, Mama. Tout ira bien, tu verras. »

J'ai de la difficulté à croire que Baba est la mère de ma Mama parce que, parfois, elle agit beaucoup plus comme une enfant que moi. Cher journal, j'ai envie de pleurer, moi aussi, et si je croyais que cela m'aurait permis de rentrer chez moi, j'aurais moi-même suivi la voiture de Manuschak jusqu'au bout du monde.

Tandis que le train quittait la gare, j'ai regardé mon cher pays défiler sous mes yeux. Chernivsti est une ville magnifique, avec ses édifices modernes et tous ses habitants. Peut-être que si nous avions été là pour visiter la ville, je l'aurais appréciée, mais tout ce que j'avais dans la tête, c'était ma tristesse à l'idée de partir de chez nous. Le train a roulé pendant deux jours. Nous sommes passés près d'énormes montagnes aux sommets enneigés, et de villages qui me rappelaient Horoshova. Nous avons vu de petites villes aux toits couverts de tuiles et aux rues pavées, et même de grandes villes avec des bâtiments si beaux qu'ils semblaient sortir tout droit d'un livre d'images! Quand nous avons passé la frontière, je n'aurais jamais su que nous étions arrivés en Allemagne si des gardes n'étaient pas montés à bord du train afin de vérifier nos papiers.

Dimanche 19 avril 1914, jour de Pâques

Encore à Hambourg

Mama a dit qu'il fallait trouver une église. C'est un problème, parce que Tato nous a avertis de ne pas quitter notre chambre, sauf en cas de besoin.

Heureusement, nous avons trouvé une église tout près de la pension. Elle est en pierres grises. Elle est si haute et son toit si pointu qu'on dirait qu'elle veut percer les nuages. Mama nous y a fait entrer. Les gens étaient assis sur de longs bancs. Je n'ai jamais vu des gens s'asseoir à l'église. C'est presque un péché. Je voulais ressortir, mais Mama nous a dit de rester debout, à l'arrière, même si le prêtre ne parlait pas notre langue. Soudain, tout le monde s'est levé, et il y a eu un grand bruit au-dessus de nos têtes. Baba est sortie de l'église en hurlant. Mama l'a suivie. Je suis restée plantée là, trop effrayée pour pouvoir bouger. Mykola me serrait la main et ne bougeait pas, lui non plus. Je me suis alors rendu compte que le grand bruit était en fait agréable à entendre. C'était un genre d'instrument de musique. Les gens devant nous se sont mis à chanter.

Je me demande ce que ces gens font de spécial pour fêter Pâques. Dans l'église, personne n'avait de panier de Pâques, et je n'ai pas vu un seul *pysanka*. Comment peut-on célébrer Pâques sans œufs décorés?

Quand nous sommes rentrés à la pension, Baba a dit que cette église était la maison du diable. Les gens ne semblaient rien connaître de la Pâque, et seules les voix humaines sont censées faire de la musique pour Dieu. Pour ce qui est du diable, comment Baba le saurait-elle? Quant à la Pâque, ils la célèbrent peut-être en jouant de la musique sur un instrument, à l'église. J'ai trouvé cette musique très belle. D'ailleurs, chez nous à l'église, la femme de Lysiak chante tellement faux que je suis prête à parier que Dieu se bouche les oreilles dès qu'elle se met à chanter.

Je me sens triste de ne pas être à Horoshova pour

Pâques. Je me demande laquelle des filles a apporté le plus joli panier. J'espère que c'est Halyna.

À la pension, Baba a sorti ce qu'il nous restait de nourriture, mais elle avait aussi une surprise pour nous.

Elle nous a donné chacun un *krashanka*, à Mykola et à moi! Je me demande quand elle a bien pu les faire bouillir et les teindre. Elle doit l'avoir fait avant notre départ. Mon œuf était rouge, et celui de Mykola, jaune. Au cas où tu ne le saurais pas, cher journal, ce n'est pas bien compliqué à faire, des *krashanky*. Il s'agit simplement de teindre un œuf dur, pour le décorer. Mais un *pysanka*, c'est une tout autre histoire. C'est difficile, et ma Baba fait les plus beaux *pysanky* de tout Horoshova. Les *pysanky* sont des œufs crus, qui ne sont pas destinés à être mangés, mais plutôt à être donnés aux amis et à la famille, en guise de porte-bonheur. Ils sont décorés de jolis dessins de toutes les couleurs. C'est la première année que Baba n'en a pas fait. Elle a dit qu'elle m'apprendrait à en faire quand je serais plus grande.

Il n'y a plus de poulet, et le pain est rassis, alors Baba a ouvert un pot de miel et en a mis une cuillerée sur chaque morceau de pain rassis. Tandis que nous mangions, une abeille est entrée par la fenêtre ouverte. Elle a bourdonné autour de nos têtes, puis s'est posée sur mon pain. Je n'ai pas peur des abeilles. Personne chez nous n'a peur des abeilles, car mon grand-père était apiculteur.

Je me rappelle les bras forts de Dido qui m'enserraient la taille quand j'avais l'âge de Mykola. Dido sentait la fumée et le miel. Il laissait les abeilles marcher sur lui. Il se faisait piquer seulement quand elles restaient prises dans le duvet de ses bras. Je suis triste en pensant que je vais traverser l'océan et laisser Dido derrière moi, enterré à Horoshova. Au moins, Volodymyr n'est pas tout seul. Mama dit que leurs âmes vont nous suivre au Canada. J'espère qu'elle dit vrai.

Lundi 20 avril 1914

Notre navire est enfin arrivé!

J'ai peur. Je ne veux pas m'en aller. Tous les passagers font la queue avec leurs paquets. Les matelots chargent les bagages et font monter environ six personnes à la fois dans un petit bateau qui les emmène jusqu'au grand bateau. Je ne suis jamais montée en bateau. *Oy!*

Jeudi 23 avril 1914

Ça fait quelques jours que je n'ai pas écrit parce que le contenu de mon estomac n'arrêtait pas de se répandre partout. Je me sens un petit peu mieux aujourd'hui. Tato nous a prévenus qu'il nous faudrait quelques jours pour nous habituer à la mer.

En ce moment, je suis assise dans un compartiment en bois qui est si petit que je me frappe la tête au plafond quand je me lève. C'est là-dedans que nous dormons, Mykola, Mama, Baba et moi! Il y a deux couchettes en haut et deux en bas. Je dors dans une des couchettes du haut, et Mykola veut dormir dans l'autre, mais Mama ne veut pas. Baba a peur de dormir dans une couchette du haut, alors elle reste vide. Mykola dort avec Mama dans une des couchettes du bas, et Baba dort dans celle qui est sous la mienne.

Notre bateau a l'air splendide de l'extérieur, mais il est affreux à l'intérieur. Ça sent comme dans les cabinets extérieurs. Nous sommes tout au fond du bateau. Quelqu'un m'a dit que, lors du voyage précédent, on avait gardé des vaches ici, et je n'ai pas de mal à le croire.

Les compartiments de bois sont empilés les uns sur les autres, alors toute la nuit je suis obligée d'écouter les grognements, les ronflements, les pets et les rots de tous les gens qui sont au-dessus de moi.

La première nuit, j'ai sorti la tête de mon compartiment pour respirer un peu d'air frais. Juste à ce moment-là, quelqu'un au-dessus de moi a eu mal au cœur. Et son tu-sais-quoi a atterri en plein dans mes cheveux. C'était horrible! Dieu merci, Mama s'est levée dans le noir et est allée chercher de l'eau de mer pour me laver. L'eau de mer ne sent pas particulièrement bon, mais comparée à tu-sais-quoi, c'est divin!

Dans une de ses lettres, Tato a raconté à Mama que le voyage en bateau serait affreux, et c'est pour cette raison que nous avons apporté du pain sec et de l'eau. Nous buvons notre eau à petites gorgées, pour ne pas être forcés de boire l'eau du bateau, qui n'est pas claire. Tato a dit que, quand il ne nous resterait plus d'eau, il faudrait faire bouillir celle du bateau avant de la boire et que, si ce n'était pas possible, Mama devrait mettre un petit peu de vodka dedans afin de la rendre plus saine à boire. Il nous a aussi dit de ne pas manger la nourriture du bateau. Nous n'en avons aucune envie, car elle sent très mauvais.

Tous les passagers de l'entrepont ont reçu une gamelle, un couteau et une fourchette. Deux ou trois fois par jour, on annonce que le repas est prêt. Les gens font alors la queue pour avoir une louche de ce machin dans leur gamelle. Il n'y a pas de tables, alors les gens retournent dans leurs couchettes avec leurs gamelles et les font tenir tant bien que mal sur leurs genoux. Quand ils ont terminé, ils sont censés laver leurs affaires, mais tout ce qu'il y a pour faire la vaisselle, c'est de l'eau de mer. Nous n'avons pas vraiment faim parce que la mer est très houleuse. En plus, ça sent mauvais ici, au fond, et ça vous coupe l'appétit. J'ai constaté qu'un petit morceau de *babka* sec trempé dans de l'eau arrivait parfois à tenir dans mon estomac. Une petite cuillerée de miel aussi.

Vendredi 1er mai 1914
11e jour sur le bateau

Nous nous en tirons mieux que la plupart des autres voyageurs dans l'entrepont. Dans le compartiment voisin du nôtre, il y a une mère avec un bébé et une fille de mon âge. Elles parlent notre langue, mais avec un accent un peu différent. Mama dit qu'elles viennent probablement de la région de Bucovine, qui est juste à côté de la Galicie. Le bébé est malade depuis le jour du départ. Le problème, c'est qu'ils boivent l'eau du bateau. Il nous reste si peu d'eau pour nous-mêmes que nous la gardons pour Mykola. Mama leur apporte donc de l'eau bouillie du bateau, quand elle peut en avoir. Il y a tellement de monde dans la cuisine de l'entrepont que ce n'est pas toujours possible.

La fille s'appelle Irena, et sa petite sœur, Olya.

Irena me rappelle Halyna. Elle a des yeux verts qui pétillent quand elle sourit, et ses cheveux sont de la même couleur (châtain) que ceux d'Halyna. *Oy!* J'aimerais tant avoir Halyna ici, avec moi. Quand je me sens triste, je regarde le brin de lilas qu'elle m'a donné et je hume son parfum. Je vais me sentir très seule au Canada. Je pensais qu'Irena s'en allait à Montréal comme nous, mais sa famille se rend dans une autre région du Canada. Son père a une ferme située très, très loin de Montréal. Je lui ai dit que mon père avait quelque chose de bien mieux : un important travail dans une usine moderne et une magnifique maison dans la rue Grand Trunk. Je ne lui ai pas dit que, si Tato n'avait pas pu aller plus loin que Montréal, c'était parce qu'il s'était fait voler tout son argent, aussitôt débarqué du bateau!

Plus tard

Irena a aussi apporté des perles de verre, et elle en a de très belles. Nous avons décidé de faire chacune un collier que nous nous donnerons l'une à l'autre en cadeau. Je vais prendre des perles rouges et noires. Voici le motif du collier que je suis en train de lui faire :

Irena et moi avons exploré le bateau. Nous avons emmené la petite Olya, afin que la mère d'Irena puisse dormir. Parfois nous emmenons Mykola, mais Mama dit que nous pouvons prendre soit Olya, soit Mykola, mais pas les deux en même temps.

Depuis le pont, je peux contempler l'océan et respirer l'air salin et froid. Les gens s'assoient par terre, adossés au mur, ou bien ils s'appuient au bastingage et regardent l'eau tout en bas. Je n'aime pas me pencher par-dessus le bastingage parce que j'ai peur de tomber à l'eau.

Nous portons Olya à tour de rôle et nous marchons de long en large sur le pont. La brise est fraîche, et ça nous fait du bien de nous dégourdir les jambes.

Un des hommes qui vient de la Bucovine a sorti un pipeau de sa poche et s'est mis à en jouer. La première chanson était triste. Elle parlait de la Bucovine qu'il avait quittée, et j'ai failli pleurer. Une femme s'est même mise à gémir. L'homme avait l'air malheureux, alors il s'est mis à jouer la mélodie d'un *kolomyika*.

La femme a arrêté de pleurer, et l'homme qui était assis à côté d'elle s'est levé. Il a commencé à battre la mesure avec ses mains, puis il a regardé sa femme. « Dansons », lui a-t-il dit. Mais elle est restée assise. Il a regardé autour de lui, pour voir si quelqu'un d'autre voulait le suivre.

Irena m'a tendu Olya, puis elle s'est avancée.

Gracieuse comme un ange, elle a exécuté toute une

série de pas de danse compliqués. Si seulement je pouvais danser aussi bien!

Quand Irena a terminé sa danse, une autre personne s'est avancée, puis une autre et encore une autre. C'était tellement amusant que même la petite Olya battait la mesure avec ses mains. De tous les jours passés à bord de ce bateau, c'était vraiment le plus beau!

Dimanche 3 mai 1914
13ᵉ jour sur le bateau

Mama dit que c'est un péché d'avoir passé deux dimanches sans aller à la messe. Un des hommes de la Bucovine lui a dit qu'il n'y avait pas d'églises au Canada parce que personne n'avait pu offrir à Dieu de quoi payer son passage sur le bateau. Quand il a dit ça, des gens ont ri, mais je trouve que ce n'est pas bien de parler comme ça. Et puis, Dieu est partout, non?

Mama nous a tous fait agenouiller dans notre compartiment, comme nous l'avons fait dimanche dernier, et nous avons dit une prière.

Plus tard

Irena m'a donné le plus beau collier du monde, avec des perles jaunes et blanches. Je vais toujours le porter.

Voici à quoi il ressemble :

Ce que j'aime le plus, c'est la grosse perle blanche de Venise, sur laquelle une fleur est gravée!

Lundi 4 mai 1914, 14ᵉ jour

J'ai les mains bleuies par le froid et j'ai du mal à tenir mon crayon. En plissant les yeux très fort, j'arrive à apercevoir la terre! Je suis si excitée! Je vais bientôt voir Tato. Et notre nouvelle maison!

Mama a besoin de moi pour refaire les bagages, alors je dois y aller.

Mardi 5 mai 1914, 15ᵉ jour

Notre bateau est passé près d'une côte, mais il ne s'est pas arrêté. Irena et moi étions sur le pont et nous voulions tout voir, mais les autres voyageurs avaient eu la même idée. Mama tenait Mykola par la main, mais il n'arrêtait pas de se tortiller pour tenter de lui échapper.

Sur la pointe des pieds, j'ai regardé les grands rochers gris et les vastes étendues de terre. Nous naviguons probablement sur un fleuve gigantesque, car il y a de la terre des deux côtés. C'est froid, dénudé et inhabité. Est-ce que c'est ça, le Canada?

Un des hommes a dit que le bateau allait s'arrêter quand il atteindrait le port de Montréal.

Plus tard

Après des heures et des heures, nous avons enfin pu voir des gens et des maisons, plutôt qu'une suite sans fin de rochers. Mais il fait toujours froid, et il s'est mis à pleuvoir.

Tous les gens se sont massés sur les côtés du bateau pour essayer de voir la côte. Moi, je ne voyais rien, même dressée sur la pointe des pieds. Finalement, je me suis mise à quatre pattes et me suis glissée entre les jambes des gens, jusqu'au bastingage. De là, je pouvais voir la côte, entre les jupes de deux dames. Irena était avec moi.

Le bateau a ralenti, puis s'est arrêté, et nous avons tous applaudi. J'avais une boule dans la gorge. Je suis très excitée à l'idée de revoir Tato et notre nouvelle maison, mais je suis triste aussi, et j'ai peur. Comment sera ma vie au Canada?

Horoshova me manque terriblement.

Plus tard

Le bateau a accosté, et il y a une grande foule sur le quai. Nous n'avons toujours pas vu Tato.

Plus tard

Tous les passagers se sont regroupés selon la langue qu'ils parlent, puis nous avons fait la queue pour qu'un docteur nous examine. Auprès du docteur, il y avait un homme qui parlait notre langue. J'ai bien vu que Mama était inquiète quand le docteur a examiné Mykola; il a été si souvent malade durant sa courte vie. Heureusement, le docteur l'a accepté. Il ne s'est pas trop attardé sur Baba ni Mama. Il ne m'était jamais venu à l'esprit que je pourrais avoir des problèmes à être acceptée et, pourtant, il a pris plus de temps avec moi qu'avec tous les autres. Il pensait que j'avais une infection dans les yeux, mais j'ai dit à l'interprète que mes yeux étaient rouges à force d'avoir pleuré. L'interprète m'a tapoté l'épaule, et le docteur m'a fait passer.

Après l'examen médical, nous devions rencontrer un représentant du gouvernement canadien. Mama lui a montré la lettre de Tato ainsi que des formulaires que nous avions apportés avec nous. Tato avait dit que nous aurions à lui montrer aussi notre argent, mais le représentant ne nous en a pas parlé. Il a rempli un formulaire pour chacun de nous, puis il a estampillé le tout avec un sceau qui avait l'air officiel. Ça n'a pas duré longtemps, mais c'était inquiétant. J'ai toujours eu peur des gens en uniforme.

Tato n'est toujours pas arrivé. Mama, Baba, Mykola et moi sommes assis sur nos coffres, sur le quai. J'ai peur. Et s'il ne venait pas nous chercher?

La pluie s'est arrêtée, et les nuages sont partis. Le soleil brille, même si c'est difficile à voir, à cause de toute la fumée dans l'air. Maintenant que je me suis réchauffée, je peux sentir la mauvaise odeur de mes vêtements. J'ai tellement hâte que Tato vienne nous chercher pour que je puisse prendre un bon bain!

Les gens qui viennent sur le quai ne sont pas habillés comme nous. Les femmes ne portent pas de fichu sur la tête. À la place, elles portent de drôles de chapeaux, comme celui-ci :

Et elles ne tressent pas leurs cheveux. Ils sont plutôt gonflés et frisés. C'est laid.

Quand nous avons débarqué, la plupart des gens ont fait semblant de ne pas nous voir, sauf un couple qui s'est pincé le nez en faisant des grimaces. Ce n'est pas notre faute si nous sentons mauvais. Est-ce qu'ils aimeraient ça, eux, rester deux semaines enfermés dans le fond d'un navire?

Ce couple est parti maintenant, et nous sommes toujours assis sur le quai, à prier pour que Tato arrive. Si c'est ça Montréal, je n'aime pas du tout. Les maisons et les édifices sont noirs de suie. Il y a d'autres grands navires ici, en plus du nôtre. Il y a des trains et des usines. Le sol est jonché de papiers et de déchets. Tout est gris, noir ou brun.

– Les cerisiers en fleurs et les lilas d'Horoshova me
  manquent.
– Les eaux claires du Dniestr me manquent.
– Les centaines de tons de vert de la forêt me
  manquent.
Mais où est donc Tato?

Irena et sa famille sont parties prendre un des trains. Je lui ai demandé de m'écrire, mais elle a dit qu'elle ne savait pas écrire. *Oy!* Ça me rend triste de penser qu'elle n'a jamais eu de grand frère comme le mien, qui aurait pu lui apprendre à lire et à écrire. Quand Irena a vu combien j'étais triste à l'idée de ne plus jamais entendre parler d'elle, elle a pris ma main et m'a regardée droit dans les yeux. « Je vais apprendre à écrire, m'a-t-elle promis. Et je vais t'écrire. » Elle me manque déjà. Et Halyna aussi. Et mon très cher frère me manque plus que tout au monde.

Je fais tout ce que je peux pour retenir mes larmes.

Beaucoup plus tard

TATO EST ENFIN ARRIVÉ!!!

Mercredi 6 mai 1914

Très tard le soir, dans notre nouvelle maison,
au 261-3 (devant), rue Grand Trunk

Tout le monde dort. Lorsque je m'assois près de la fenêtre, le réverbère qui est dehors donne suffisamment de lumière pour que je puisse y voir un peu.

Voici ce qui s'est produit quand Tato est arrivé.

Il est venu avec un cheval et une voiture, et aussi une plante dans un petit pot de grès pour Mama. C'était un tournesol. Tato a dit qu'il l'avait fait pousser avec des graines de notre jardin à Horoshova, qu'il avait emportées. Tato est si fort que, quand le conducteur n'a pas voulu l'aider à charger nos bagages dans sa voiture, il a soulevé tous nos coffres lui-même. Il avait l'air différent de l'homme dont je me souvenais. Il portait un pantalon et une chemise, comme un Canadien, et aussi de grosses bottes de cuir. Il a maintenant une grande ride qui lui barre le front, mais quand il sourit, son visage redevient presque comme dans mon souvenir.

Je pensais que nous aurions une longue distance à parcourir, mais notre maison est tout près du port. Tato dit que notre rue s'appelle Grand Trunk, à cause de la compagnie de chemin de fer. Rien à voir avec des grosses malles!

Mais notre maison est comme une grosse boîte. Je croyais que nous allions utiliser toute la maison, mais Tato a ri quand j'ai dit ça. Même si nous n'avons pas toute la maison, nous avons tout l'avant du dernier étage, ce qui est épatant!

Quand la voiture s'est arrêtée devant chez nous, des gens sont sortis pour nous voir. Un homme du rez-de-chaussée a aidé Tato à transporter les coffres. Il s'appelle Ivan Pemlych et vient du village de Shuparka, qui est à 18 kilomètres environ d'Horoshova. N'est-ce pas étrange que nous ayons traversé l'océan et que nous rencontrions, à l'arrivée, des gens qui viennent d'un village voisin du nôtre? Pemlych a dit que son fils cadet, Stefan, avait à peu près mon âge. Il n'était pas à la maison à ce moment-là, alors je n'ai pas pu faire sa connaissance. Je suis contente qu'il y ait ici quelqu'un de mon âge, même si c'est un garçon.

Pemlych et Tato ont monté les coffres, puis Mama les a suivis avec Mykola. Baba est restée dans la voiture, les bras croisés sur la poitrine. « Je ne peux pas monter toutes ces marches », a-t-elle dit.

J'ai essayé de l'aider, mais elle est restée assise là, l'air furieuse. Puis l'homme à qui appartenait la voiture a dit quelque chose en anglais et, avec ses mains, il a fait signe à Baba de descendre. J'avais peur de ce qu'elle allait faire, mais Baba a soupiré en me demandant de lui prêter mon bras pour l'aider.

Elle n'a eu aucune difficulté à monter les marches. Elle avait le souffle un peu court et s'est arrêtée à quelques reprises, mais c'est tout. Je montais derrière elle, au cas où; c'est pourquoi j'ai été la dernière à voir l'intérieur de notre nouvelle maison.

Voici ce que j'aime dans ma maison du Canada :

- Il faut monter trois gigantesques escaliers extérieurs pour arriver chez nous.
- Personne n'habite au-dessus, alors le toit est à nous.
- J'ai retrouvé mon cher Tato.
- J'ai un lit qu'on rabat contre le mur durant la journée, pour faire de la place, puis qu'on rouvre le soir.
- Je n'ai plus à partager mon lit avec Baba.
- Nous avons une pompe à eau à l'intérieur.
- Nous avons un gros poêle à charbon, plutôt qu'un poêle à bois.
- Nous avons nos propres cabinets dans l'arrière-cour.

Voici ce que je n'aime pas :

- Je n'ai pas ma chambre à moi.
- Je dois partager mon lit avec Mykola.
- Les gens qui vivent au-dessous sont très bruyants.
- L'arrière-cour est remplie de rangées et de rangées de cabinets qui sentent mauvais.
- Il n'y a pas d'espace entre la maison et la route.
- Nous n'avons qu'une seule fenêtre!
- Il n'y a pas de place pour jardiner.

Jeudi 7 mai 1914

Tôt le matin, dans notre nouvelle maison

Mama a rouspété quand nous sommes entrés. Je pouvais voir qu'elle était satisfaite de l'endroit, mais qu'elle n'était pas contente de la façon dont Tato avait entretenu la maison. Le plancher était crasseux, et ça sentait le renfermé. Tato a dit qu'en attendant notre arrivée, il avait loué les lits à des hommes célibataires afin de gagner un peu d'argent.

Mama venait à peine d'entrer qu'elle a rempli un grand chaudron d'eau et l'a mis à chauffer sur le poêle pour pouvoir remplir la baignoire et nous permettre à tous de prendre un bon bain. Tandis que l'eau chauffait, elle s'est mise à nettoyer. Nous n'avions même pas eu le temps de nous asseoir, et elle se mettait déjà à faire du ménage! Mama ne changera jamais, qu'elle soit au Canada ou à Horoshova! Je ne sais pas si c'est une bonne chose ou non.

Plus tard

Je n'ai toujours pas rencontré ce garçon, Stefan, qui est censé habiter au rez-de-chaussée. Les gens qui habitent juste en dessous de chez nous ne parlent pas notre langue. Je ne sais pas quelle langue ils parlent. Ça ne ressemble pas à de l'anglais non plus.

Tato est déjà reparti. Il travaille dans une usine située dans la rue Grand Trunk! Il dit que je vais commencer l'école lundi et que Mama va aller travailler à l'endroit qu'il a trouvé pour elle. Entre-temps, je dois aider Mama à mettre de l'ordre dans la maison. Nous sommes aussi censées nous trouver des vêtements canadiens. Je suis bien contente. Les vêtements canadiens paraissent peut-être bizarres, mais au moins, si nous sommes habillés comme les gens d'ici, on ne nous dévisagera plus.

La femme de Pemlych nous a apporté un panier de brioches et un pot de lait. Elle travaille pour une dame canadienne, comme Mama va le faire. J'espère que Mama pourra aussi nous rapporter des brioches de son travail! Mama va travailler pour une dame qui s'appelle Mme Haggarty. La femme de Pemlych dit qu'elle-même ne rapporte pas souvent de la nourriture à la maison, seulement quand il y a des restes. Les brioches étaient délicieuses!

La femme de Pemlych a dessiné un plan pour montrer à Mama comment se rendre aux bureaux de l'Association des Ukrainiens, qui sont situés au 481, rue Wellington. Elle a dit que ce n'était pas loin à pied. Mama était surprise parce que Tato lui avait donné un plan pour se rendre à la Société ukrainienne, qui se trouve à l'intersection des rues Centre et Ropery. Mama a montré ce plan à notre voisine, mais celle-ci a dit que, si nous voulions des vêtements, nous ferions mieux de nous adresser à l'Association.

Mama a demandé à la femme de Pemlych pourquoi ces deux organismes avaient « ukrainien » dans leur nom, et pas « galicien ». Notre voisine a répondu que la Galicie n'était qu'un endroit parmi beaucoup d'autres qui partagent notre langue et nos traditions. Il y a aussi la Bucovine, la Crimée, les Carpates, et même des parties de la Russie et de la Pologne!

Plus tard, le soir

Les choses que j'aime beaucoup :
– mes chaussures et mes chaussettes neuves.
Les choses que je déteste :
– cette stupide tunique bleu marine que je dois porter pour aller à l'école : elle est affreuse!
– les gens qui se moquent de ma mère;
– ma culotte.

Baba est restée avec Mykola pendant que Mama et moi allions explorer les environs. Nous voulions aller aux bureaux de l'Association des Ukrainiens, mais nous ne connaissions pas les rues, alors nous nous sommes trompées et nous avons abouti près du canal, dans la rue Saint-Patrick.

Un homme qui portait un chapeau brun tout sale nous suivait. Je l'ai signalé à Mama, mais elle m'a dit de continuer à marcher. Un peu plus loin, l'homme nous a crié quelque chose comme « sales immigrés ».

Mama était tellement surprise qu'il nous ait adressé la parole qu'elle s'est retournée pour le regarder. Elle a trébuché et elle est tombée lourdement sur le trottoir. Elle a même failli me faire tomber avec elle. J'essayais de l'aider à se remettre sur ses pieds quand un gentil monsieur est sorti de son magasin et l'a aidé à se relever. Il ne parlait pas notre langue, mais elle l'a remercié en faisant des gestes et là, elle lui a montré notre plan. Il a tourné le papier dans l'autre sens et nous a montré quelle direction prendre.

Quand nous sommes enfin arrivées aux bureaux de l'Association des Ukrainiens, c'était déjà le milieu de la matinée! Un vieux monsieur prénommé Augustyn est venu nous ouvrir et nous a fait signe de le suivre.

Il y avait un homme assis à une table, qui lisait le journal. J'ai eu tout un choc quand je l'ai vu, car il ressemblait comme deux gouttes d'eau à mon frère. Mama s'est même approchée et lui a dit : « Volodymir, est-ce que c'est toi? »

Mais quand l'homme a relevé la tête, il ne ressemblait plus du tout à mon frère. Je te reparlerai une autre fois de mon grand frère qui est mort. Cet homme-là avait le menton fuyant et de grandes dents. Mon frère, lui, avait un visage parfait. Pendant que Mama parlait avec l'homme, j'ai fait le tour de la salle.

Une vieille dame qui faisait du raccommodage dans un coin m'a saluée de la tête. Quand je lui ai dit que Mama voulait avoir des vêtements d'écolière pour moi, elle m'a regardée de la tête aux pieds, puis elle s'est mise à fouiller dans un grand panier de vêtements qui était à ses pieds. Elle a dit qu'elle allait me trouver quelque chose.

Elle a d'abord sorti une chemise blanche à manches longues et m'a montré qu'il y avait une tache sur le devant. Elle a dit que la tache ne serait pas visible parce que j'allais porter quelque chose par-dessus.

Quand j'ai examiné la chemise, j'ai tout de suite vu qu'elle était beaucoup trop courte! Imagine-toi : elle ne m'allait qu'aux hanches! J'en rougissais juste à la regarder! Il y avait des boutons sur le devant et, là où il aurait dû y avoir de la broderie, il y avait quelque chose qu'on appelle un col.

J'ai dit à la dame (maintenant, je sais que c'est la veuve Sonechko) qu'une chemise comme ça, c'était indécent! Au premier coup de vent, ma jupe allait se soulever, et tout le monde pourrait voir mes parties intimes!

La veuve Sonechko a ri si fort que des larmes lui coulaient sur les joues. Puis elle m'a expliqué que ce vêtement n'était pas une chemise, mais un chemisier. Ensuite, elle a encore fouillé dans son panier et en a sorti un truc bleu foncé, tout uni, qu'elle m'a fait enfiler et qui couvrait le reste de mes vêtements.

La veuve Sonechko m'a dit que ce truc affreux s'appelait tunique. On ne l'enroule pas autour de sa taille comme on le fait d'une jupe et ça ne peut pas être soulevé par le vent.

Mais c'est tellement laid! Le chemisier n'a aucune broderie, les manches sont très serrées et le col me serre le cou à m'étouffer. En plus, le col monte tellement haut qu'il cache le magnifique collier qu'Irena m'a fait. Je pleure en pensant que je vais devoir porter cette tunique au lieu de ma belle jupe toute brodée.

Pourquoi les Canadiens ne portent-ils pas de vêtements brodés? Pourquoi rient-ils en voyant mes vêtements? Ce qu'ils portent est tout simple. Au moins, la veuve Sonechko n'a pas réussi à trouver des chaussures et des chaussettes qui m'allaient, alors j'en ai eu des neuves.

Elle a trouvé une jupe noire pour Mama, mais pas de chemisier. Elle nous a dit d'aller au bout de la rue, au magasin général. Une dame qui travaille là-bas parle ukrainien et...

Vendredi 8 mai 1914

Très tôt le matin,
assise au bord de mon nouveau lit

Désolée, cher journal. Mama m'a fait éteindre la lumière.

Je m'ennuie d'Irena, d'Halyna et de ma chère petite maison d'Horoshova. Au moins, le soleil brille dans notre fenêtre, ici.

C'est difficile de s'y retrouver, avec l'argent canadien. Il y a des pièces en métal et des dollars en papier, au lieu des *kronen*, comme chez nous. Sur chaque pièce et chaque billet, il y a un chiffre qui nous indique sa valeur.

Hier, nous avons dépensé 5 $ et 90 ¢ au magasin général. C'est plus que la moitié du salaire que Tato gagne chaque semaine. Heureusement que Mykola et Baba n'ont pas besoin de vêtements canadiens tout de suite!

Voici ce qui s'est passé.

Une dame qui s'appelle Lydia nous a aidées. Je n'aurais jamais deviné qu'elle venait de notre pays, car elle portait une longue jupe noire avec un chemisier blanc à col montant.

Elle nous a aidé à choisir des chaussettes, des chaussures et un chemisier pour Mama. Puis elle nous a expliqué que les Canadiennes portaient une culotte. Ça ressemble à un pantalon d'homme qu'on aurait coupé à la hauteur des genoux. Je ne comprends pas pourquoi nous sommes obligées d'acheter des culottes, surtout quand nous avons si peu d'argent. Mais Mama dit que nous sommes devenues canadiennes et que nous devons faire les choses comme les Canadiennes.

Ces culottes vont nous compliquer la vie dans les cabinets!

Nous avons rapporté deux sacs d'articles à la maison, mais ce que j'aime le plus, ce sont mes chaussures neuves. Elles sont faites de beau cuir noir. Elles se lacent sur le devant et montent au-dessus de mes chevilles, alors j'imagine que je devrais les appeler bottines. Elles ont un petit talon et me font paraître plus grande. Je les adore!

Plus tard

Sur le chemin du retour, nous avons assisté à une scène étonnante. Il y avait deux dames habillées en blanc qui distribuaient du lait à des enfants. Quand nous sommes arrivées chez nous, Mama a demandé à la femme de Pemlych ce qui se passait là. À ce qu'il paraît, Mykola et moi avons droit à un pot de lait par jour. C'est formidable, non? Elle nous a raconté qu'il y avait eu un scandale au sujet du lait, à Montréal. Le lait vendu était impropre à la consommation, et des bébés en sont morts. La ville a donc organisé des centres de distribution de lait afin de procurer du bon lait aux enfants. Je suis très contente de savoir ça, car nous allons pouvoir économiser un peu!

Au lit

Baba a frotté et nettoyé toute la maison, puis elle a sorti le linge brodé et les coussins. Elle a accroché l'icône au mur, mais Tato a dit que nous devrions laisser tout ça derrière nous, maintenant que nous sommes au Canada.

Mama était en train de rouler de la pâte à *pyrohy* quand il a dit ça, et elle a froncé les sourcils. Tous deux sont allés dans la chambre, alors j'ai collé mon oreille contre la porte pour écouter. Baba et Mykola étaient à côté de moi.

Nous les avons entendus se disputer à propos de la religion, comme toujours. Tato a dit que la religion devrait rester dans notre vieux pays, mais Mama a répliqué : « Si tu ne veux plus aller à l'église, ça te regarde, mais Dieu aura toujours sa place chez nous. »

D'habitude, Mama laisse Tato croire que toutes les idées viennent de lui. La seule chose au sujet de laquelle je les entends se disputer, c'est la religion. Tato n'a plus rien dit pendant un bon bout de temps. Je l'entendais marcher de long en large dans la pièce. Puis la poignée de la porte s'est mise à tourner. À peine avons-nous eu le temps de nous enlever de là qu'il a ouvert la porte.

Il s'est tourné vers Baba et il lui a dit : « Tu peux laisser l'icône accrochée au mur. »

J'allais oublier! Mama m'a donné son coffre à trousseau! Il est fait d'un beau bois sombre, tout sculpté, et il sent si bon! Dido l'a fabriqué exprès pour elle quand elle avait mon âge. Elle dit qu'elle veut que je commence à broder du linge; ainsi je pourrai avoir un mariage traditionnel, même si je suis dans un nouveau pays. Il va me falloir du tissu et du fil à broder. J'ai hâte de commencer!

Il se passe tout plein de choses et il y aurait tant à écrire! Je suis bien contente que Tato m'ait donné un journal avec beaucoup de pages!

Samedi 9 mai 1914

Stefan est le garçon le plus mesquin et le plus affreux que j'aie jamais rencontré. En tout cas, je vais me venger, ça, c'est sûr! Voici ce qui s'est passé.

Le samedi, Tato travaille une demi-journée seulement; alors ce matin, quand il est parti pour l'usine, Mama s'est rendue au marché en plein air avec Baba, et moi, je suis restée avec Mykola. Il n'y a pas de place pour jouer à l'intérieur, alors j'ai emmené Mykola dehors pour jouer au chat dans l'escalier. J'aimais bien le voir rire et s'amuser. En plus, j'adore rester dehors avec mon frère, sans Mama ni Baba pour me dire quoi faire. Mais là, Stefan est arrivé. Il portait un grand sac vide, en toile, mais je ne sais pas pourquoi.

– Stefan le boutonneux.

– Stefan le mesquin.

– Stefan je-sais-tout.

Il s'est moqué de moi parce que je portais ma jupe brodée et il a même ri du joli collier de perles qu'Irena m'avait donné. Il a dit que j'avais l'air d'une « sale immigrante ». Je lui ai demandé ce que ça voulait dire, et il a répondu que c'était le nom que donnaient les Canadiens aux Ukrainiens, parce que les Ukrainiens ne se lavent pas.

Pourtant, il *sait* très bien qu'on se lave! J'ai répondu : « Peut-être que c'était sale dans ton village, mais c'était propre dans le mien. »

Il a répliqué : « Même une fois lavée, tu pues encore l'ail. »

À ce qu'il paraît, les Canadiens n'aiment pas l'ail. Je lui ai dit que, si j'étais une sale immigrante, alors lui, il était un sale immigrant. Il a répondu qu'il était devenu canadien parce qu'il parle le français et l'anglais. Mais il mange encore de l'ail, et il me tape sur les nerfs.

Je me suis mise à crier, et il est parti.

Le soir

Je suis pelotonnée de mon côté du lit et j'ai juste assez de lumière pour écrire, car le réverbère éclaire ma fenêtre. Stefan est venu frapper à notre porte après le dîner. Il tenait une balle et deux bâtons. Il s'est excusé d'avoir été méchant et il a demandé si nous voulions venir jouer au hockey dans la rue. Mama a dit que Mykola devait faire sa sieste, mais que je pouvais y aller si j'en avais envie.

J'aurais dû refuser, mais je voulais savoir ce que c'était, le hockey. Il n'y a pas de place pour jouer, dans notre rue. Je suis toujours épatée par le nombre de chariots remplis de barils, de boulons et de toutes sortes d'objets en métal, qui passent devant chez nous. Je crois que c'est à cause de toutes ces usines dans notre rue et aussi parce que les bateaux ne sont pas loin.

En tout cas, Stefan m'a emmenée à deux rues de chez

nous, là où il y a un grand bâtiment avec un immense terrain de terre battue où on peut jouer. Il m'a dit que c'était là qu'il allait à l'école. C'est l'école Sarsfield.

Nous avons joué au hockey pendant quelque temps. Il faut frapper la balle avec un bâton. Stefan a dit que nous ne jouions pas vraiment au hockey, que nous ne faisions que nous échauffer. J'aimais bien ça, jusqu'au moment où il a commencé à frapper la balle si fort que je n'arrivais plus à l'arrêter avec mon bâton. Alors, il a dit que je jouais au hockey comme une sale immigrante.

Puis des garçons sont arrivés et ils ont dit quelque chose en anglais à Stefan. Il m'a enlevé le bâton des mains et m'a laissée plantée là, comme un poireau! C'était mesquin, surtout que je ne connais pas bien les environs.

Pourquoi n'ai-je pas encore rencontré de filles? Je me demande si je vais aller à l'école Sarsfield. Tato pourra me le dire.

Dimanche 10 mai 1914
Une fois tout le monde endormi

Je n'arrive pas à dormir parce que demain, j'irai à ma nouvelle école pour la première fois. Et ce ne sera pas l'école Sarsfield. Tato dit que je vais aller à l'école Notre-Dame-des-Anges. C'est un nom français. Il est beau, tu ne trouves pas? J'aurais aimé que Mama m'amène à l'école demain, mais c'est aussi son premier jour de travail. Elle est anxieuse à l'idée de prendre le tramway, mais Tato a dit que, pour son premier jour, il allait l'accompagner. Heureusement que mon école est seulement à deux rues d'ici. Nous l'avons trouvée après être allés à l'église. Je me demande si les classes se feront en français ou en anglais.

En parlant de l'église, nous avons failli avoir une grosse dispute chez nous parce que Mama voulait que nous y allions tous. Tato a répondu qu'il n'y avait pas d'église ukrainienne dans les environs et que Mama devrait comprendre ce que ça signifie.

La femme de Pemlych a frappé à notre porte, juste au moment où la discussion commençait à s'envenimer. Elle a dit à Mama qu'elle s'en allait à l'église et nous a proposé de l'accompagner. Tu aurais dû voir la tête de Tato! Nous allions tous partir en le laissant seul, assis au bout de la table. Au dernier moment, il m'a dit : « Anya, tu ressembles à une princesse. Je crois que je vais vous accompagner, pour que tout le monde sache que tu es ma fille. »

J'avais décidé de porter mon horrible tunique, mais j'ai changé d'avis et j'ai plutôt enfilé mes plus beaux vêtements brodés. J'ai aussi mis mes nouvelles bottines. C'est probablement à cause d'elles que Tato a dit que j'avais l'air d'une princesse!

Stefan n'est pas venu à l'église, pas plus que son père. C'était très loin et, quand nous sommes enfin arrivés, j'avais mal aux pieds. Ces bottines sont peut-être jolies, mais elles ne sont pas aussi confortables que mes vieilles chaussures.

L'église est catholique française et elle se nomme Saint-Antoine. Le décor est plus sobre que dans notre église, mais il est aussi joli. Ça fait tout drôle d'entendre le prêtre (le Père Perepelytsia, un Ukrainien) dire la messe en ukrainien dans une église française.

C'est formidable que la communauté francophone nous laisse utiliser son église, tu ne trouves pas?

Cette église a des bancs, comme celle d'Hambourg. Au lieu de rester à l'arrière, nous sommes allés nous asseoir. J'étais bien contente, parce que mes pieds me faisaient vraiment mal.

Le plus beau, dans tout ça, c'est qu'à l'église, il y avait des filles de mon âge. J'espère qu'elles vont à mon école.

Lundi 11 mai 1914

Assise à mon pupitre, à l'heure du dîner

Stefan n'est peut-être pas aussi méchant que ça, après tout. Voici ce qui est arrivé :

Mama m'avait préparé un dîner à apporter : du pain de seigle garni de gras de poulet et de tranches d'oignons. Elle avait aussi mis un pot de lait sur.

J'ai enfilé ma culotte, mes chaussettes, mon chemisier tout simple et cette tunique que je déteste. J'allais mettre mes bottines neuves, mais j'avais trop mal aux pieds à cause de notre longue marche d'hier, alors j'ai décidé de ne pas les porter jusqu'à ce que j'arrive à l'école. Je ne voulais pas salir mes chaussettes neuves, alors je les ai enlevées et je suis partie pieds nus.

J'étais à mi-chemin de l'école quand j'ai entendu quelqu'un qui courait derrière moi. J'avais peur que ce soit l'homme qui avait crié après nous l'autre jour, mais c'était seulement Stefan.

Il m'a ordonné de remettre mes chaussures et mes chaussettes. Quand je lui ai dit que j'avais des ampoules, il a dit que ça n'avait aucune importance. Puis il s'est emparé de mon casse-croûte et il l'a senti : « Tu es vraiment une sale immigrante », a-t-il dit. J'avais envie de le frapper et je voulais m'en aller, mais il a ajouté : « On pourrait échanger nos dîners. »

Il avait le même grand sac de toile que l'autre jour. Il semblait vide, mais Stefan l'a ouvert et m'a montré un sandwich de pain blanc avec du beurre et de la cassonade, et un pot de thé. Ça avait l'air très bon, mais je me demandais pourquoi il voulait qu'on échange nos repas. Il m'a dit de le faire sans discuter. Il était fâché et pressé de partir, alors j'ai accepté.

J'ai remis mes chaussures et mes chaussettes, puis Stefan s'est sauvé en direction de l'école Sarsfield, en me laissant marcher toute seule jusqu'à l'école Notre-Dame-des-Anges.

Ma nouvelle école est faite de briques; elle a deux étages et elle est entourée d'une clôture. Je me demande pourquoi les filles vont à une école, et les garçons, à une autre.

Quand je suis arrivée dans la cour, des filles qui jouaient en cercle se sont mises à rire en me désignant du doigt et ont dit quelque chose en anglais. Je me suis sentie rougir de honte. Pourquoi riaient-elles de moi? J'avais remis mes chaussures et mes chaussettes, et mes vêtements étaient exactement comme les leurs.

Quand je les ai regardées de plus près, je me suis rendu

compte que leurs cheveux étaient différents. Une des filles avait les siens qui lui tombaient dans le dos. La seule fois où mes cheveux ne sont pas attachés, c'est quand je prends un bain. Une autre fille avait les cheveux coupés à hauteur du menton. J'ai aussi remarqué que la plupart de ces filles portaient des rubans dans leurs cheveux. J'aime cette coutume canadienne parce que, pour une fois, on peut voir un ornement!

Mais pourquoi parlaient-elles en anglais? Je n'y comprenais plus rien : une école au nom français et des élèves qui parlent anglais! *Oy!* Ça ne va pas être facile d'aller à l'école au Canada.

Je suis restée là à les regarder jusqu'à ce que la cloche sonne, puis je me suis mise en rang avec les autres filles, mais tandis que nous marchions vers l'école, une institutrice m'a prise par la main et m'a emmenée avec elle. Nous avons monté l'escalier et nous sommes passées devant plusieurs salles de classe. Je ne voulais pas paraître effrontée en regardant trop fixement, mais c'était vraiment bizarre de voir autant de classes séparées. Rien qu'au deuxième étage, j'en ai compté quatre. Je crois qu'il y a une classe pour chaque niveau.

L'institutrice m'a emmenée dans une classe qui était au bout du couloir. J'étais nerveuse jusqu'à ce que j'entre dans cette classe. Toutes les filles portaient des tresses. Et elles parlaient toutes ma langue! Même l'institutrice parlait ukrainien!

Ses cheveux étaient tressés et remontés sur la tête pour former une couronne. Elle s'appelle Panna Boyko, mais

elle veut qu'on l'appelle Mlle Boyko parce que
« mademoiselle » veut dire Panna.

Les pupitres de bois, à deux places, et le tableau noir
ressemblent à ce qu'on avait dans mon ancienne école,
sauf qu'il y a une fenêtre au lieu de trois. Dans toute la
classe, il y a une seule fille plus grande que moi. Elle
s'appelle Mary. Mlle Boyko a réorganisé la classe, de façon
que je partage un pupitre avec Mary, puis elle a commencé
la leçon... en ukrainien! J'avais eu tellement peur que
l'école soit difficile, et voilà qu'on enseignait dans ma
propre langue! Je me demande pourquoi Stefan ne m'en
a rien dit.

La grammaire et l'arithmétique étaient faciles.
L'institutrice utilise un livre semblable à celui que notre
institutrice utilisait avec les plus jeunes, à Horoshova. La
géographie et l'histoire étaient plus intéressantes, parce
qu'il y avait des parties sur le Canada, et d'autres à propos
des Ukrainiens. Une carte de l'Europe de l'Est et de la
Russie est accrochée au mur, et Mlle Boyko a mis des
points rouges pour indiquer les endroits d'où viennent les
filles de la classe. Elle en a ajouté un pour moi. La carte
couvre un territoire si vaste que certains points sont très
près les uns des autres, alors que d'autres sont un peu plus
éloignés. C'est intéressant aussi de voir que la Russie est
aussi proche d'Horoshova.

Au dîner, Mary a remarqué ce que j'avais à manger et a
dit que c'était bien que je n'aie pas apporté un sandwich
à l'ail, comme elle l'avait fait lors de son premier jour
d'école. Je lui ai raconté que Stefan avait pris mon

sandwich à l'oignon et le lait sur. Elle a dit qu'il devait vraiment être un bon ami. Stefan, un bon ami? C'est difficile à croire, mais c'était très gentil de sa part, d'avoir fait ça pour moi.

Plus tard

J'aimerais bien avoir un ruban dans mes cheveux, comme les autres filles.

J'ai oublié de te dire que c'est seulement le matin que nous faisons la classe en ukrainien. Ce n'est pas le français que nous apprenons l'après-midi, mais l'anglais, et c'est Mlle Boyko qui nous enseigne cette matière-là aussi. L'alphabet anglais est complètement différent du nôtre, mais au moins, certains sons ne changent pas.

Encore plus tard, à la table de la cuisine

L'homme qui nous a crié des insultes habite plus loin, dans notre rue. Aujourd'hui, en revenant de l'école, j'étais à une dizaine de pas derrière lui et je l'ai vu ouvrir la porte de son logement, au rez-de-chaussée. Je suis bien contente qu'il ne m'ait pas vue. Il va falloir que je traverse la rue pour passer devant chez lui. Je ne voudrais pas...

Désolée, cher journal. Baba avait besoin d'aide pour le souper.

Mama vient juste de rentrer, et Tato va bientôt arriver, alors il fallait que je pèle les pommes de terre et que je hache les oignons, puis que j'emmène Mykola jouer dehors. Stefan était déjà là. Il a dit que les gens qui habitaient dans notre logement avant nous ne le laissaient pas monter sur le toit, mais qu'il avait toujours voulu y aller.

Nous y sommes montés ensemble. Pendant tout le temps que nous avons été là, je n'ai pas lâché la main de Mykola; je ne voulais surtout pas qu'il tombe en bas. Mais c'était intéressant, là-haut. En regardant vers le nord, je pouvais voir la montagne et un clocher surmonté d'une croix. Vers le sud, je voyais le port, et les bateaux qui arrivaient. En plissant les yeux, je pouvais voir de l'autre côté du fleuve Saint-Laurent. On a aussi une bonne vue des trains, des tramways et des gens qui marchent dans la rue. Derrière notre maison, on voit tous ces cabinets sales et puants. Beurk!

C'est plus amusant de regarder au loin. Il faisait un petit peu froid, alors nous ne sommes pas restés très longtemps. J'ai bien averti Mykola qu'il ne pouvait pas monter là tout seul.

Mama nous appelle. C'est l'heure du souper, alors je dois y aller.

Le soir, dans mon lit

Quelques points au sujet desquels je dois réfléchir :
- Stefan n'est pas si méchant que ça. Est-ce qu'il a eu des ennuis à son école, à cause de mon sandwich?
- Nous devrions faire sécher la lessive sur le toit. Il ne faut pas que j'oublie d'en parler à Mama, demain matin.
- Pourquoi nos voisins ne s'occupent-ils pas mieux de leurs cabinets?

Je n'ai pas encore eu une seule minute pour travailler à mon trousseau. Mama dit que nous trouverons le temps quand nous serons mieux installés.

Mardi 12 mai 1914, après l'école

Mary habite dans la rue Centre, à deux rues de chez nous, et juste à côté de l'école. Elle dit que d'autres filles de la classe habitent près de chez elle.

Elle m'a prêté des fiches aide-mémoire qu'elle avait fabriquées quand elle apprenait l'alphabet anglais. Elle est au Canada depuis seulement huit mois, mais quand elle parle anglais, on croirait entendre notre institutrice. J'ai essayé les fiches avec Mykola, et il trouve que c'est un jeu très amusant. Il mémorise les lettres aussi bien que moi. Je crois qu'il est très intelligent pour ses cinq ans.

Plus tard

À l'école, nous avons appris qu'en anglais, on doit mettre « Mr. » devant un nom d'homme et « Mrs. » devant un nom de femme mariée. En français, une voisine nous a dit que c'était « M. » et « Mme ».

Ça me plaît beaucoup!

Mercredi 13 mai 1914, dans mon lit

J'ai résolu le mystère du grand sac de toile de Stefan. Stefan vend des journaux avant d'aller à l'école, et le samedi aussi. Je l'ai appris parce qu'il pleuvait aujourd'hui et qu'il n'avait pas réussi à vendre tous ses journaux. Quand je l'ai croisé en m'en allant à l'école, il m'en a donné un pour que je m'en couvre la tête.

J'ai réussi à éviter les flaques d'eau, mais un cheval qui tirait un chariot m'a éclaboussée. L'homme m'a montré son poing et a crié après moi. Le journal de Stefan a protégé ma jupe et mon chemisier des éclaboussures, mais mes belles chaussettes et mes bottines étaient couvertes de boue. Mlle Boyko me les a fait enlever, puis elle a rempli mes bottines de papier journal afin de les empêcher de rétrécir en séchant. Pour la classe, elle m'a prêté une paire de chaussettes de laine qui me picotaient la peau. C'était très gênant! Il a fallu que je remette mes chaussettes et mes bottines sales pour rentrer à la maison; elles étaient toutes froides et humides.

Quand je suis arrivée chez nous, Baba m'a fait prendre un bain chaud, même si on était seulement mercredi. Elle a dit que mes bottines n'étaient pas complètement fichues. Il faut juste les laisser sécher avec du papier journal à l'intérieur, puis elle va me montrer comment enlever la boue et les cirer.

Changement de sujet : Mama n'est pas gouvernante chez Mme Haggarty; elle travaille à la cuisine.

Jeudi 14 mai 1914, après l'école

Je ne veux plus jamais retourner à l'école.

Vendredi 15 mai 1914

Toute recroquevillée sur le plancher,
avec mon oreiller

Mama a dit que je pouvais rester à la maison aujourd'hui. Je suis encore tellement bouleversée que j'ai du mal à tenir ma plume. Voici ce qui est arrivé.

Une fillette qui s'appelle Slava est toujours toute sale quand elle vient à l'école et elle ne parle pas un mot d'anglais. Mary dit que, parfois, elle arrive sans son dîner et que, lorsqu'elle apporte quelque chose à manger, c'est du hareng mariné ou du fromage puant, dans un sac graisseux. Mary me dit que la mère de Slava est morte, qu'elle n'a que son père pour s'occuper d'elle et qu'il ne sait pas comment élever une fille.

Hier, au dîner, les Canadiennes jouaient à un de leurs jeux de ronde, et Slava voulait jouer, elle aussi. Elles l'ont laissée s'asseoir au milieu du cercle qu'elles formaient.

Je ne comprenais pas les paroles de leur chanson, mais Mary les écoutait. Elle a dit que c'était à propos de Slava, que les filles comparaient à un petit animal sale. Quand elles ont fini leur chanson, l'une d'elles a pris une poignée de terre et l'a laissée tomber sur la tête de Slava. Les autres filles ont ri.

Au début, Slava a ri avec elles, mais elle a fini par se rendre compte de ce que les filles avaient fait. Ses yeux se sont écarquillés, puis se sont remplis de larmes. Mary s'est précipitée vers le groupe et a pris Slava par la main pour l'emmener avec elle.

Nous avons tout raconté à Mlle Boyko. Elle a calmé Slava et l'a nettoyée, mais elle nous a dit de ne pas en faire toute une histoire. Elle a ajouté que nous devrions nous entendre avec ces filles et que, parfois, cela signifiait se taire. Pourquoi ces filles sont-elles aussi méchantes? Est-ce qu'elles ne se rendent pas compte que Slava est sensible, tout comme elles? Par moments, je suis si furieuse que j'en pleurerais.

Baba a vu que j'étais très fâchée, alors elle s'est assise avec moi et nous avons discuté de ce qui s'était passé. Elle a dit que je devrais avoir de la peine pour ces pauvres filles. Je ne comprenais pas, mais Baba m'a expliqué que, lorsque les gens sont méchants, ça veut dire qu'ils ne s'aiment pas eux-mêmes. Ça les réconforte de faire du mal à quelqu'un d'autre. Je ne pourrais pas être comme ça, moi. Quant on est de mauvaise humeur, il faut faire quelque chose de gentil pour les autres. Moi, c'est ça qui me réconforte toujours.

Baba voulait me changer les idées, alors elle m'a montré un nouveau point de couture. Cet après-midi, avec son aide, j'ai cousu une taie d'oreiller pour mon trousseau.

Je me demande si Slava est allée à l'école aujourd'hui.

Plus tard

Je me suis rendue jusqu'à l'école et j'ai regardé à travers

la clôture. Mary est venue me parler à l'heure du dîner. Elle m'a dit que Slava n'était pas venue à l'école, elle non plus, et m'a expliqué comment aller chez elle. C'est dans la rue Centre, près de chez Mary.

Slava et son père partagent une pièce avec deux autres familles, et on ne peut pas y accéder par la porte de devant. Il a fallu que je marche dans une toute petite ruelle, jusqu'à l'arrière du bâtiment, pour trouver la porte. Cher journal, tu ne peux pas imaginer à quel point cette ruelle était sale. J'ai dû me boucher le nez pendant que j'y marchais. C'est aussi épouvantable que les cabinets de nos voisins. La pièce où Slava et son père habitent est très sale, elle aussi. Le plancher est si crasseux qu'on n'en voit plus les planches de bois, et il y a des bestioles. Même la personne la plus pauvre à Horoshova vit mieux que ça. Par moments, je me demande pourquoi nous sommes venus ici.

Slava était là, toute seule, alors j'ai laissé un message pour son père et je l'ai ramenée chez nous. Baba a fait bouillir de l'eau pour un bain, puis a prêté à Slava certains de mes vieux vêtements. Baba est en train de laver ceux de Slava.

Au lit

Tato connaît le père de Slava. Ils travaillaient à la même usine, avant. Quand la mère de Slava est morte, son père était tellement triste qu'il n'allait pas toujours au travail, alors il a été renvoyé. Maintenant, il ne travaille que lorsqu'il arrive à trouver quelque chose, mais la plupart du temps, il erre dans les rues.

Mama a dit que Tato devrait aller le chercher et l'inviter à souper, mais Tato a répondu que nous n'avions pas les moyens de donner à manger à tous ceux qui nous faisaient pitié. Mama n'a pas répliqué, mais Slava a soupé avec nous. Nous avons simplement redistribué nos portions. Ça ne me dérange pas de manger un petit peu moins si c'est pour permettre à Slava de se mettre quelque chose sous la dent. Même Mykola en a mis moins dans son assiette et a fait semblant de ne pas entendre son ventre qui gargouillait. Mama a dit qu'elle n'avait pas besoin de souper puisqu'elle avait pu manger chez Mme Haggarty. Après le souper, nous avons tous accompagné Slava jusque chez elle. ~~Le père de Slava~~ M. Demchuk (cher journal,

au cas où tu te poserais des questions, je m'exerce à utiliser « M. » et « Mme ») était là et il était très content de voir sa fille toute propre et souriante.

Quel avant-midi formidable!

Stefan, Mykola et moi avons joué à la balle sur le toit. C'est bien là-haut, car il n'y a personne pour nous insulter. Mary est venue et elle a joué avec nous. Le toit est notre place à nous. Mais c'est fatigant de toujours tenir Mykola par la main. Une fois, la balle est tombée en bas et a failli frapper Mme Pemlych qui revenait du marché. Heureusement que Stefan jouait avec nous, sinon elle serait allée se plaindre à Tato.

Stefan m'a parlé d'une soirée dansante qui aura lieu à la Société ukrainienne, ce soir, et m'a demandé si je pourrais y aller. Tato va bientôt rentrer, alors je vais le lui demander.

Plus tard

Mama a dit : « Comment voulez-vous qu'on y aille, avec tout le travail qu'il y a à faire à la maison. » Mais Tato a répliqué que ça nous ferait du bien de nous amuser. Il a même dit qu'il irait chercher M. Demchuk et Slava, alors nous y allons tous ensemble!

Dans mon lit bien confortable

Aujourd'hui a été la plus belle journée que j'ai passée depuis que nous sommes arrivés au Canada. À la Société ukrainienne, tous les meubles avaient été repoussés contre les murs, et il y avait beaucoup de monde. Plusieurs de mes camarades de classe étaient là, dont Mary, et aussi des garçons de l'école Sarsfield. Comme il y avait aussi beaucoup d'adultes, ça faisait pas mal de monde. Quelqu'un a ouvert les fenêtres pour laisser entrer un peu d'air frais. Les musiciens ont joué tellement de morceaux familiers que j'ai failli me mettre à pleurer, surtout quand le tsymbaliste jouait de son instrument. Ça me faisait penser à Volodymir. Je me demande comment va Halyna.

Est-ce que je lui manque? Je suis bien contente que Volodymir lui ait appris à lire et à écrire parce que demain, je vais lui écrire une lettre.

Tato et Mama ont dansé la polka. Ils tournaient si vite que j'avais du mal à les suivre des yeux. Il y avait si longtemps que je ne les avais pas vus danser!

Stefan est bon danseur. Il a exécuté magnifiquement tous les pas compliqués. Il m'a demandé de danser la polka avec lui. Je ne suis pas bonne danseuse et j'étais gênée. Il a dit qu'il allait me montrer comment danser. Nous avons fait notre polka, et je ne lui ai pas marché sur les pieds une seule fois. Ensuite, il a dansé avec Mary. Elle est bien meilleure que moi.

Mama dit que je dois dormir maintenant.

Lundi 18 mai 1914

Mama a insisté pour que j'aille à l'école aujourd'hui. Je ne voulais pas m'y rendre seule parce que j'ai peur de cet homme qui nous insulte. J'ai frappé à la porte, chez Stefan, mais personne n'est venu répondre, alors j'ai dû marcher toute seule.

Malheureusement, l'affreux monsieur était adossé à la porte de son logement, avec un petit sourire méchant. J'ai été forcée de passer devant lui, car il y avait trop de circulation pour que je puisse traverser la rue. J'ai gardé les yeux rivés sur le trottoir et marché le plus près possible de la rue. Au moment où je passais devant lui, j'ai entendu un « floc! ». Et là, devant mes pieds, j'ai vu un truc jaune et visqueux. J'ai failli marcher dedans. J'ai poursuivi mon chemin, mais plus vite, les yeux toujours baissés. Pourquoi a-t-il fait ça? Il ne me connaît même pas!

Quand je suis arrivée dans la cour de l'école, j'ai vu que Slava était revenue et qu'elle portait les vêtements propres que Baba et Mme Sonechko lui avaient trouvés, samedi soir. Les Canadiennes ont fait comme si Slava n'était pas là. Je connais leurs noms, à présent : Ellen, Louise et Annie (!!!).

Je dois aider Baba à préparer le souper, puis je vais monter sur le toit, où je suis en sécurité. Je reviendrai écrire plus tard.

Jeudi 19 mai 1914

Mlle Boyko est en train de nous apprendre une chanson en anglais. C'est *God Save the King*. Nous devons la savoir pour vendredi, car ce sera le jour de Victoria. Nous ne sommes pas sorties pendant la récréation ni après le dîner, afin de répéter.

Laisse-moi te présenter les filles de ma classe.

– Mary et Slava (tu les connais déjà).

– Sofia, Pasha et Olga sont trois sœurs. Sofia a 12 ans, mais elle est très petite; Pasha pleure tout le temps et Olga aime pincer les autres.

– Genya doit avoir 10 ans, je crois, et elle parle plutôt bien l'anglais.

– Natalka est au Canada depuis quatre ans, mais elle n'est pas très brillante. Elle a autant de difficulté avec les leçons en ukrainien qu'avec celles en anglais. Elle est gentille et elle chante comme un rossignol.

– Marussia est sympathique et très intelligente. Elle aussi, elle chante bien.

– Stefania a été très souvent malade, alors je ne la connais pas très bien. Elle a huit ans. Elle était à l'école aujourd'hui, mais elle avait trop mal à la gorge pour pouvoir chanter.

La seule Canadienne dont je connais le nom, à part les filles méchantes, s'appelle Maureen. Elle se fait embêter par les filles méchantes, elle aussi. C'est horrible de ma part, mais je dois avouer que ça me soulage de savoir que ces filles ne harcèlent pas seulement les Ukrainiennes.

Maureen a l'air triste et solitaire. Je ne m'étais pas rendu compte avant aujourd'hui qu'elle habitait rue Grand Trunk, pas loin de chez moi!

Mercredi 20 mai 1914

Aujourd'hui, à l'école, nous avons peint des drapeaux appelés *Red Ensign*. Ils sont très beaux, mais compliqués à faire.

Le drapeau britannique occupe le coin supérieur gauche et, du côté droit, il y a un écu où figurent les emblèmes des provinces canadiennes. Pour le Québec, il s'agit de trois fleurs de lys. J'aimerais bien pouvoir trouver des lys comme ceux-là. C'est le printemps, mais je n'ai pas encore vu de fleurs, sauf le tournesol que Tato fait pousser pour Mama, et ça, ça ne compte même pas, car il n'a pas encore fleuri. Mary a dit que, dimanche, elle m'emmènerait dans une forêt et me montrerait des fleurs canadiennes.

Mlle Boyko dit que le drapeau du Canada contient un drapeau britannique parce que le Canada appartient à la Grande-Bretagne. Elle dit que c'est à peu près la même chose que l'Autriche qui possède la Galicie.

C'était amusant de faire de la peinture. Quand j'ai fini mon drapeau, Mlle Boyko m'a donné une autre feuille de papier. J'y ai dessiné notre village, avec la cigogne, le cimetière, l'église et notre maison. Mlle Boyko a accroché mon dessin au mur. Elle dit que je suis une véritable artiste!

En revenant de l'école aujourd'hui, j'ai vu Maureen qui marchait à environ trois maisons devant moi, toute seule. J'ai marché très vite pour la rattraper. Je crois que je lui ai fait peur, car elle s'est mise à marcher plus vite. Alors, je l'ai appelée. Elle s'est retournée et m'a fait un grand sourire. C'est bien, de revenir ensemble de l'école. Je me demande si le monsieur est méchant avec elle aussi.

Vendredi 22 mai 1914

Jour de Victoria, après l'école

Nous étions censées avoir un rassemblement à l'extérieur, aujourd'hui, mais il pleuvait à verse. Nous nous sommes donc entassées dans la pièce commune et nous avons écouté un monsieur portant un très bel uniforme. Il faisait tellement chaud que j'ai cru que j'allais m'évanouir. Selon Mary, l'homme expliquait qu'il était très fier d'être sujet britannique. Elle a dit qu'une partie du discours s'adressait à nous plus particulièrement; selon l'homme en uniforme, nous devons nous considérer désormais comme des sujets britanniques et apprendre la culture et les langues canadiennes le plus rapidement possible. Je suis bien d'accord avec lui.

Après le discours, nous avons brandi les drapeaux que nous avions peints. Puis nous avons chanté le *God Save the King*. Toute la classe a bien prononcé les paroles. J'étais soulagée parce que je ne voudrais surtout pas que les Canadiennes pensent que nous sommes stupides.

Samedi 23 mai 1914
Le soir, bien installée dans mon lit

La pluie qui ruisselle sur notre fenêtre me rend triste. On dirait des larmes tombant du ciel. Chaque fois qu'il pleut, je pense à Volodymir.

Cher journal, je ne t'ai pas encore parlé de mon frère, alors il est grand temps que je le fasse. Je préfère parler de sa vie, plutôt que de sa mort, alors je vais commencer par là.

La moustache de mon frère n'était encore qu'une ombre sur sa lèvre supérieure et elle me chatouillait quand il m'embrassait. Il était plus grand que Tato et, malgré sa minceur, il était plus fort qu'on ne l'aurait cru. À cause de sa voix magnifique, on lui demandait de lire les journaux à voix haute au *chytalnya*, et c'est là que les problèmes ont commencé. Plus il lisait, plus il se rendait compte que notre situation était sans espoir si nous restions à Horoshova.

Notre dette était élevée et nous n'avions aucun moyen de nous en sortir. Comme Tato préférait ne pas y penser,

Volodymir et lui se disputaient à ce sujet.

Quand Volodymir est tombé amoureux d'Halyna, j'étais furieuse. J'avais l'impression de perdre à la fois mon frère et ma meilleure amie. J'ai refusé de parler à Halyna pendant une semaine entière, et c'est là que Volodymir a déclaré qu'il allait nous apprendre à lire et à écrire, à toutes les deux. Tu comprends, cher journal, les petites filles de notre village n'étaient pas admises au *chytalnya*, et plusieurs n'allaient pas à l'école. Mais Volodymir a décidé que sa femme et sa sœur seraient instruites.

Il a écrit une très jolie chanson pour moi, à chanter avec un *tsymbaly*. Elle parlait de gouttes de pluie et de sœurs, et disait que les unes et les autres étaient agréables, quoique parfois embêtantes, mais qu'on les aimait bien quand même. Il l'a écrite sur un bout de papier et m'a appris à la lire avant de me la jouer. Pour Halyna, il a écrit une chanson d'amour et a refusé de la lui chanter tant qu'elle ne pourrait pas la lui lire. Il nous lisait les journaux et essayait de nous faire comprendre ses opinions.

S'il n'avait pas lu les journaux, il aurait été content de son sort, mais il s'est mis en tête d'aller faire fortune dans les mines de charbon, en Allemagne.

Halyna a pleuré, quand elle a entendu ça. Ils étaient déjà fiancés.

À cette époque, je n'avais pas compris, mais maintenant je sais pourquoi il est parti. Il avait 17 ans quand il est mort, et il essayait d'amasser suffisamment d'argent pour qu'Halyna et lui puissent partir pour le Canada avant qu'on l'oblige à s'enrôler dans l'armée autrichienne.

Oy! Cher journal, si tu savais combien de jeunes hommes de notre village avaient déjà trouvé la mort en combattant pour l'Autriche, tu comprendrais mieux. Volodymir n'avait plus que quelques années devant lui. Il devait absolument gagner l'argent nécessaire et s'enfuir avec Halyna avant d'avoir 21 ans.

À ce moment-là, je pensais que l'Allemagne était un bon endroit où gagner de l'argent, mais quand, au bout d'un mois passé là-bas, Volodymir est revenu chez nous, il avait la peau si noire qu'il n'y avait pas moyen de la nettoyer, même en frottant très fort. Pendant qu'il se séchait, j'ai vu un bleu, mêlé de vert et de violet, si gros qu'il couvrait tout le bas de son dos. Il a ri de moi quand je lui en ai parlé. « Le travail est dur, dans les mines de charbon, m'a-t-il répondu. Mais regarde comme on me paie bien! » Son rouleau de marks allemands était plus gros qu'un de mes doigts. Volodymir a dit que, s'il travaillait dans les mines toute une année, il aurait assez d'argent pour rembourser notre dette. Il en resterait encore assez pour qu'Halyna et lui puissent se rendre au Canada. Ça semblait trop beau pour être vrai, et ça l'était.

Mon cher Volodymir a peiné pendant huit longs mois. Il envoyait presque tout son argent à la maison, et Tato était ravi. Mama, elle, était inquiète, et Halyna aussi. Elle a dit qu'elle préférerait être marié à Volodymir et rester pauvre toute sa vie, plutôt que d'être une riche veuve. En fin de compte, elle n'a été ni l'une ni l'autre. Il y a eu un effondrement, et beaucoup d'hommes sont morts, y compris Volodymir. Quand son corps est arrivé chez nous pour qu'on l'enterre, Mama n'a pas voulu que je regarde.

Il me manque tellement!

Tato a donné à Halyna une partie de l'argent de Volodymir. Elle n'en voulait pas, mais Tato a insisté. Il a remboursé une partie de notre dette, aussi, puis il a pris le reste pour payer son passage pour le Canada.

Dimanche 24 mai 1914

Tout le monde dort encore. Mama va bientôt nous faire lever pour que nous allions à l'église. Je ne sais pas si Tato va venir.

Plus tard

Mykola adore les fiches aide-mémoire. Il ne s'en sert plus pour apprendre l'alphabet anglais, maintenant : il le connaît déjà. Il les utilise pour faire des châteaux de cartes! Il en a construit un de six cartes de haut et de plusieurs cartes de large. C'était vraiment impressionnant! Mais là, Tato a ouvert la porte, et le vent a tout fait tomber.

Lundi 5 mai 1914

Hier, je suis allée dans la forêt avec Mary! Ce n'était pas vraiment une forêt, mais plutôt comme un grand parc planté d'arbres, comme celui qui entourerait le manoir d'un seigneur chez nous.

Pour nous y rendre, il a fallu traverser la voie ferrée, aller plus loin que la rue Wellington, puis marcher dans la rue Fortune. Le manoir, qui est en pierres grises, est gigantesque. Il compte beaucoup de fenêtres. Il y en a même dans la toiture! Mary dit que ce n'est pas le manoir d'un seigneur. La demeure porte le nom de Maison Saint-Gabriel et elle a été construite il y a environ 300 ans pour accueillir des jeunes femmes qui venaient au Canada afin de trouver un mari. Un bien long voyage pour trouver un mari! Je ne sais pas à quoi le bâtiment sert maintenant, mais il y avait des gens à l'intérieur. Alors Mary et moi en avons fait le tour tout doucement.

Dans le boisé du parc, on a vu des plantes qui ressemblaient à celles que Mama faisait sécher pour faire des médicaments. Une des plantes me faisait penser à la grande camomille. Elle n'est pas encore en fleurs, alors je n'en suis pas tout à fait sûre. J'en ai cueilli une et je l'ai montrée à Mama. Elle dit que, lorsque la plante aura fleuri, elle en sera certaine, mais elle pense que c'est bel et bien la grande camomille. Ce serait merveilleux d'en avoir ici, pour soigner la jambe de Baba...

Mercredi 27 mai 1914, après l'école

Cher journal, lorsque les lumières sont enfin éteintes et que j'ai un moment à moi, je suis si fatiguée que mes yeux se ferment tout seuls.

Aujourd'hui, Maureen est venue chez nous. Je l'ai emmenée sur mon toit, et nous avons joué pendant un petit moment avec Mykola. Ça faisait du bien de la voir heureuse, pour une fois.

Mlle Boyko pense que je suis prête à passer mon examen d'anglais. Je serais aux anges si je le réussissais! J'ai montré à Maureen les fiches aide-mémoire que Mary m'avait données, et elle aime bien les utiliser pour m'interroger. En plus, lorsque nous revenons de l'école, je lis le nom des rues et les enseignes des magasins, et elle corrige ma prononciation.

Je ne suis pas inquiète pour l'examen d'ukrainien.

Autre chose…

Maintenant que je reviens de l'école avec Maureen, le monsieur ne nous embête pas trop. S'il est devant sa porte quand nous passons, nous nous tenons la tête haute et nous le regardons dans les yeux. On dirait presque qu'il a peur de nous! C'est la preuve que deux valent toujours mieux qu'une!

Jeudi 28 mai 1914, après l'école

Mlle Boyko nous enseigne l'anglais en nous lisant des articles du journal. Il y a un groupe de femmes qu'on appelle « suffragettes ». Je pensais que ça voulait dire qu'elles aimaient souffrir, mais le mot « suffrage » signifie « vote ». Ces femmes veulent voter. Elles ne veulent pas que toutes les femmes aient le droit de vote, seulement les Blanches qui possèdent des biens.

J'ai demandé à Mlle Boyko si tous les hommes pouvaient voter au Canada, et elle a répondu que non. Seuls les Blancs peuvent voter.

« Qu'est-ce que ça veut dire, Blancs? » ai-je demandé. (Les seules personnes blanches que j'aie vues sont ces dames qui se mettent trop de poudre sur le visage!)

Mlle Boyko m'a expliqué que le terme « Blancs » change de sens selon les villes et les provinces, et que c'est difficile de s'y retrouver. Les hommes qui sont au Canada depuis un certain temps peuvent devenir ce qu'on appelle des « sujets britanniques naturalisés » et obtenir ainsi le droit de vote. Les immigrants d'Europe continentale et de Russie peuvent aussi l'obtenir s'ils sont ici depuis assez longtemps. Les immigrants de la Grande-Bretagne ont le droit de vote dès leur arrivée au pays. Les Chinois et les Japonais ne peuvent pas voter, même s'ils sont au Canada depuis très longtemps. Les Amérindiens ne peuvent pas voter non plus, même s'ils sont ici depuis bien plus longtemps que tous les autres.

Alors Mary a demandé : « Et les Ukrainiens? »

Mlle Boyko a répondu : « Un Ukrainien peut voter s'il est ici depuis assez longtemps pour devenir un sujet britannique naturalisé. »

Tout cela est très étrange. Dans notre pays, tous les hommes peuvent voter, qui qu'ils soient. Même les paysans peuvent voter. Pourquoi ces suffragettes veulent-elles obtenir le droit de vote seulement pour les femmes comme elles? Et les autres alors?

Plus tard

Quand je suis rentrée de l'école, tout notre logement sentait le chou. C'est difficile pour Baba de garder la maison fraîche quand on a seulement une fenêtre, surtout le jour des cigares au chou. Mykola m'attendait, alors nous sommes montés sur le toit. L'air frais était divin. J'ai placé Mykola sur mes épaules, et il a salué de la main un grand navire à vapeur qui se dirigeait vers le large.

Stefan est venu nous rejoindre, et nous avons joué à la balle. Je lui ai parlé des suffragettes, et il m'a raconté que les suffragettes d'Angleterre étaient si effrontées qu'elles avaient pris d'assaut le palais du roi. Je sais que les suffragettes ne veulent aider que les Blanches, mais ça me fâche quand les garçons disent du mal des femmes. J'ai dit à Stefan que je ne le croyais pas. Il a tourné les talons et il est parti sans ajouter un mot. Je sais que ce n'était pas gentil de ma part de lui dire ça, mais ça m'a fait plaisir de le voir fâché.

Au bout de quelques minutes, il est revenu avec un journal et, effectivement, il y avait un article à propos de Mme Sylvia Pankhurst de Londres, en Angleterre. Ses amies et elle ont pris d'assaut le palais de Buckingham. Elles ont même tailladé cinq tableaux, à la National Gallery.

« Comment pourrait-on donner le droit de vote à des gens comme ça? » s'est exclamé Stefan. Il a dit que ça nous mènerait tout droit à l'anarchie.

Je ne sais pas ce que c'est, l'anarchie, mais je ne voulais pas que Stefan s'en rende compte, alors je l'ai regardé droit dans les yeux et je lui ai crié : « Non, ça ne nous mènera pas là. »

Pendant que nous nous disputions, Mykola est allé jusqu'au bord du toit et s'est mis à laisser tomber de petites branches en bas. Mon sang n'a fait qu'un tour quand je m'en suis rendu compte. Je me suis approchée de lui, tout doucement, puis je l'ai attrapé par la taille pour l'éloigner de là.

Voilà ce qui arrive quand je me dispute avec Stefan. J'aurais dû faire plus attention!

Samedi 30 mai 1914

Cher journal, je suis désolée d'avoir sali cette page avec mes larmes. Un énorme navire à vapeur, l'*Empress of Ireland*, gît maintenant au fond de la mer. Un millier de passagers se sont noyés. Tout le monde à l'école en parlait. Ce n'est pas le navire que nous avons salué de la main hier, mais un autre qui était parti du port de Québec.

Quand on pense qu'il y a tout juste un mois, nous étions à bord d'un bateau qui passait à l'endroit même où l'*Empress of Ireland* a sombré! J'ai beaucoup de peine pour tous ces noyés, mais, cher journal, je t'en prie, ne m'en veux pas trop si je t'avoue que je suis bien contente que ce bateau n'ait pas été le nôtre.

Plus tard

Stefan a eu besoin d'aide pour vendre son édition spéciale du journal. Tout le monde voulait lire les nouvelles au sujet de l'*Empress of Ireland*. Il m'en a donc donné une pile et m'a demandé d'aller les vendre à l'autre bout de la rue. Quand j'ai terminé, il m'a donné un cent.

Je garde mon cent. Je vais peut-être l'utiliser pour allumer un lampion pour les âmes des pauvres passagers de l'*Empress of Ireland*.

Lundi 1er juin 1914

Cher journal, il y a des rubans en solde au magasin général. Avec ma pièce de monnaie, je vais pouvoir acheter un beau ruban bleu d'un pouce de largeur, assez long pour attacher mes cheveux et faire une grosse boucle.

Plus tard

Je suis incapable d'acheter le ruban. Je me sentirais coupable chaque fois que je le porterais. J'aimerais bien ne pas avoir de conscience!

Mercredi 3 juin 1914

Le temps froid convient tout à fait à mon humeur. Je suis triste, cher journal. Natalka Tkachuk ne vient plus à l'école. Si elle avait pu rester encore quelques semaines, elle aurait pu terminer son année.

Je pensais que Natalka était un peu stupide, mais elle est seulement fatiguée. Sa mère travaille pendant la nuit, à une fabrique de vêtements, alors Natalka doit s'occuper de son frère et de sa sœur, le soir. Mary m'a dit qu'elle faisait aussi la cuisine et le ménage. Mme Tkachuk s'est cassé le bras à la fabrique vendredi. Le père de Natalka doit trouver assez d'argent pour payer le docteur. Et, bien sûr, Mme Tkachuk ne peut plus travailler. Son patron a offert de prendre Natalka à sa place. Elle ne gagnera pas autant que sa mère parce qu'elle doit apprendre le métier, mais au moins ça rapportera un peu d'argent chez eux.

Pauvre Mme Tkachuk! Et pauvre Natalka!

J'espère que Dieu ne m'en voudra pas, mais, après l'école, je suis allée chez Natalka avec Mary et je lui ai donné ma pièce de monnaie. Je dirai une prière pour les pauvres âmes de l'*Empress of Ireland*, mais je ne peux plus leur payer un lampion.

J'ai demandé à Tato ce qui arriverait, s'il avait un accident. Il m'a expliqué qu'il avait une assurance auprès de la Société ukrainienne de soins aux malades et que je n'avais pas à m'inquiéter.

Je lui ai demandé pourquoi Mme Tkachuk n'avait pas cette assurance. Il a répondu qu'elle coûte 1 $ par mois et que ce sont, pour la plupart, des hommes qui se la procurent, d'abord parce qu'elle coûte trop cher et aussi, parce que le travail qu'ils font est plus dangereux.

Et si Mama avait un accident?

Je dois lui rappeler d'être bien prudente.

Lundi 8 juin 1914, après l'école

Cher journal, je me sens coupable de ne pas avoir écrit davantage, mais je n'ai pas grand-chose à raconter. Tous les jours se ressemblent. Je n'ai toujours pas eu de nouvelles d'Halyna. Je me demande si elle s'ennuie de moi.

- Je m'ennuie de la douce brise du soir à Horoshova.
- Je m'ennuie de notre vache et de nos poules.
- Je m'ennuie de ma vieille école et de mes camarades de classe.
- Par moments, je m'ennuie même de Bohdan!

Jeudi 11 juin 1914, tard

Les filles de ma classe d'ici sont gentilles, et Maureen aussi, mais pourquoi les autres sont-elles aussi méchantes? J'étudie encore tous les jours et je veux réussir, mais c'est difficile de se concentrer quand il fait si chaud dehors.

Avec Natalka qui travaille, ça m'a fait réfléchir à ce que je pourrais faire pour aider ma famille. Tout coûte cher ici, et j'entends Mama et Tato qui parlent d'argent à voix basse quand ils pensent que tout le monde est endormi. Il y a tant de choses à payer : la nourriture, l'eau, le combustible, le loyer, l'assurance, les vêtements, le tramway pour Mama. À Horoshova, nous faisions pousser nos propres légumes et nous avions les œufs de nos poules, le lait et le beurre de notre vache et, bien sûr, il n'y avait pas de tramway. Je ne savais pas que ça coûterait si cher de vivre au Canada. Les œufs coûtent 14 ¢ la douzaine. Incroyable, non? Je devrais demander à Stefan et Mary s'ils ont une idée des endroits où je pourrais trouver du travail. Maureen le saurait peut-être, elle aussi.

Nous avons de la chance parce que Baba fait notre pain. Un pain ordinaire coûte 5 ¢ au magasin, alors je ne sais pas comment s'y prennent les gens qui ne font pas eux-mêmes leur pain. Notre baril de farine coûtera 3 $ à remplacer, quand il sera vide. C'est la moitié du salaire hebdomadaire de Mama.

Heureusement, il y a la distribution de lait.

Baba fait des expériences culinaires avec les haricots secs. C'est bon, mais Mykola en a des gaz, la nuit. Comme nous partageons le même lit, ce n'est pas très agréable pour moi! C'est l'une des raisons pour lesquelles j'aimerais aller dormir sur le toit.

Lundi 15 juin 1914

Cher journal, je suis si heureuse! Nous avons passé nos examens aujourd'hui, et je crois que je m'en suis bien sortie. Je suis contente d'avoir étudié autant, mais je suis encore plus contente que les examens soient finis!

Vendredi 19 juin 1914

Le genou gauche de Baba est tout enflé. Je crois que c'est parce que, aujourd'hui, nous avons eu plus de pluie que tout ce qui est tombé depuis que nous sommes arrivés au Canada. Baba dit que ça ne la dérange pas, mais je sais que ce n'est pas vrai. Il ne reste plus d'herbes médicinales à Mama, alors elle ne peut pas lui faire un emplâtre.

Baba ne peut pas vraiment monter toutes les marches chaque jour, avec les provisions. Je lui ai dit que je pourrais aller au marché à sa place, car je suis assez grande maintenant. Elle doit, bien sûr, descendre l'escalier pour aller aux cabinets, mais ça, je ne peux pas le faire à sa place.

Samedi 20 juin 1914, le matin

Quelle belle journée! Fraîche et agréable, avec à peine quelques gouttes de pluie. Nous nous sommes levés très tôt et j'ai emmené Mykola avec moi dans le boisé de la Maison Saint-Gabriel. Nous y avons cueilli des fleurs sauvages. Je suis certaine que j'ai de la grande camomille.

Plus tard

Mama a fait un emplâtre de grande camomille pour le genou de Baba. Si seulement elle n'avait pas à monter et à descendre ces marches!

Encore plus tard

Mama a décidé que Baba ne doit plus monter et descendre les marches tant qu'elle a des problèmes de genou. Baba n'en est pas trop malheureuse. J'ai remarqué que, depuis que nous sommes arrivés ici, elle n'aime pas sortir de la maison. Je crois qu'elle a peur de toutes ces choses et de tous ces bruits qu'elle ne connaît pas.

Baba utilise le pot de chambre pour faire tu-sais-quoi, et devine qui doit aller le vider? Ça me fait plaisir de le faire pour elle, mais c'est gênant. Et si je tombais par hasard sur Stefan? Ce serait beaucoup trop humiliant pour moi!

Lundi 22 juin 1914, au lit

Depuis vendredi, je vais au marché tous les jours et j'aime bien ça. Des fermiers qui parlent français viennent de la campagne et offrent leurs fruits et légumes sur des étals, et d'autres produits à l'arrière de leurs charrettes. Quand je vois ces fermiers avec le visage tout bronzé, je pense à mon ancienne patrie.

Mardi 23 juin 1914

Dernier jour d'école

Mlle Boyko nous a demandé d'arriver tôt à l'école, puis nous avons marché toutes ensemble jusqu'à l'église. Il y avait une messe spéciale parce que demain, ce sera la fête de saint Jean-Baptiste. L'église était pleine à craquer, et on a chanté plus de cantiques que d'habitude.

À notre retour à l'école, Mlle Boyko nous a remis nos bulletins. Chacun était glissé dans une pochette de carton de couleur ivoire, que retenait un joli ruban rouge. Je vais l'utiliser pour mes cheveux. Non seulement j'ai réussi le niveau 1 en anglais, mais en plus, j'ai obtenu un B! Mlle Boyko avait même collé une étoile argentée sur ma pochette. Elle a écrit que c'était pour mon « assiduité au travail ». Je l'ai remerciée, sans laisser voir que je ne savais pas ce que c'était, l'assiduité au travail. Plus tard, Mary m'a expliqué que l'assiduité, c'est quand on essaie constamment de s'améliorer. Mary a obtenu les meilleures notes de la classe et a eu une étoile dorée. Mlle Boyko a dit que c'était pour son « excellence ». Selon Mary, ça signifie qu'elle est très intelligente.

Slava n'a pas obtenu la note de passage. Mlle Boyko a quand même collé une étoile bleue sur son bulletin. À côté, elle a écrit : « Rome ne s'est pas bâtie en un jour. Tu dois persévérer. » Mlle Boyko est si gentille! Slava n'avait pas l'air de se faire du souci. Elle était ravie d'avoir un ruban et une étoile.

Je me sens triste d'avoir fini l'école. Je ne sais même pas

si je vais pouvoir y retourner. L'autre jour, Stefan m'a montré, dans le journal, la photo d'une femme qui avait reçu son diplôme universitaire. Quel pays extraordinaire, où les femmes peuvent aller à l'université! Mais je me demande où elles ont pu trouver l'argent nécessaire pour le faire.

Mama dit que je vais certainement retourner à l'école en septembre, et Tato a ajouté que l'une des raisons pour lesquelles nous étions venus au Canada, c'était parce que tant les filles que les garçons y avaient un avenir. Mais si nous n'avons pas assez d'argent pour payer nos factures, quel genre d'avenir allons-nous avoir? Je rêve d'acheter à Mama et Tato une grande maison avec des fenêtres et plein de pièces. Nous pourrions dormir au rez-de-chaussée quand il ferait chaud dehors, et sur le toit quand nous en aurions envie. Ce serait bien s'il n'y avait que nos propres cabinets et assez d'espace pour jouer. On pourrait peut-être avoir une vache et quelques poules aussi. Je sais que des gens habitent dans des maisons comme ça, parce que j'en ai vu. Au Canada, tout est possible.

Mercredi 24 juin 1914

Jour de la Saint-Jean-Baptiste

Aujourd'hui, c'était congé. Tato est resté à la maison, mais Mama a quand même dû faire sa demi-journée de travail.

Nous nous sommes tous rendus dans la rue Sainte-Catherine pour voir quelque chose de très amusant. Ça s'appelle un « défilé ». C'est un peu comme un *provody*, mais en beaucoup plus beau. Chez nous, il y a seulement un prêtre tenant un icône, et les villageois qui marchent derrière lui. Ici, le défilé prend toute la place dans la rue, et les gens sont dans des voitures tirées par des chevaux. Chaque voiture est décorée comme la scène d'un théâtre, et les gens sont costumés. Tato dit qu'on appelle ces voitures « chars allégoriques ». Dans un des chars, il y avait un homme habillé comme saint Jean-Baptiste, et il portait sa tête sur un plateau.

Maintenant que l'école est finie, il faut absolument que je me trouve du travail. Il ne faut surtout pas que Mama et Tato l'apprennent, car ils me l'interdiraient. N'empêche que nous avons drôlement besoin d'argent. Je les entends parler tout bas et je sais que nous sommes au bord de la catastrophe. Que ferions-nous si Mama tombait malade ou si Tato perdait son travail? Les rues sont pleines d'hommes sans travail. Je sais que ce n'est pas bien de cacher des choses à ses parents, mais si nous étions encore à Horoshova, je serais probablement déjà fiancée et ils ne me traiteraient plus comme une petite fille.

Stefan dit que je peux l'aider à vendre ses journaux, chaque fois qu'il y a une édition spéciale. Il va me payer 1 ¢, comme l'autre fois. Mais ce n'est pas assez. Mary a dit qu'elle viendrait avec moi à la fabrique de vêtements.

Vendredi 26 juin 1914

Sur le toit, au soleil couchant

Aujourd'hui, Mary et moi sommes allées à la fabrique de vêtements où Natalka travaille. Il y avait des filles plus jeunes que moi, là-bas. Je me suis dit qu'ils allaient sûrement m'embaucher, moi aussi, non? Je n'ai pas vu Natalka, mais elle était peut-être partie plus tôt.

Nous nous sommes présentées à l'homme qui estampillait les fiches de présences. J'ai laissé à Mary le soin de lui parler. L'homme nous a bien regardées, toutes les deux, et il a dit que Mary était engagée, mais que j'étais trop jeune. Je lui ai dit que j'avais vu des filles plus jeunes que moi entrer dans la fabrique. Il s'est contenté de secouer la tête. Il a rempli une fiche de présence pour Mary, puis l'a estampillée, et elle est entrée. Il faudra que je lui demande ce qu'on fabrique là-dedans.

Samedi 27 juin 1914

J'étais tellement occupée à préparer mes examens, il y a quelque temps, et voilà que je n'ai plus besoin d'étudier! Baba me donne des tâches ménagères et des courses à faire, mais je me sens inutile. Elle me dit d'aller jouer dehors, mais je n'arrive pas à trouver Stefan. Mary était à la fabrique, ce matin. J'ai emmené Mykola avec moi, et nous nous sommes rendus chez Slava, mais elle n'était pas là, elle non plus. Un des locataires m'a dit que son père et elle avaient déménagé. Je ne sais pas trop quoi en penser.

Baba me fait confectionner un édredon pour mon trousseau. C'est un travail très fastidieux. J'aimerais mieux faire de la broderie, mais Mama n'a pas encore eu le temps de me l'apprendre. *Oy!* Je préférerais fabriquer des bijoux de perles de verre, plutôt que de faire ce travail de couture bien ordinaire. Au moins, je m'amuserais un peu.

Plus tard

Aujourd'hui, je suis allée chez Maureen pour la première fois. Ça sent le chou, exactement comme chez nous, parce que sa *maimeo* (c'est le mot irlandais pour Baba) fait cuire des choux, elle aussi. Ils ne mangent pas de cigares au chou, mais du chou avec des pommes de terre.

Du même coup, j'ai rencontré Brigitte, la petite sœur de Maureen. Elle a un jouet extraordinaire! Il s'agit d'une petite maison de poupée en bois, avec quatre pièces et même des petits meubles en bois. Il y a aussi un papa, une maman et deux enfants, tout sculptés.

Maureen m'a dit que c'était son père qui avait fabriqué tout ça de ses mains, avant sa naissance. Brigitte m'a laissée jouer avec elle. J'aimerais bien avoir une maison de poupée comme celle-là!

Dimanche 28 juin 1914

Confortablement assise dans mon lit,
écrivant à la lumière du réverbère

Cher journal, j'ai oublié de te parler du logement de Maureen. Il ressemble beaucoup au nôtre. Comme sa famille parle anglais, je pensais qu'elle était riche, mais pas du tout. Un portrait de la Vierge Marie est suspendu au mur, et aussi un crucifix. Sur le plancher, il y a un tapis tressé, fait de bouts de tissu de toutes les couleurs. Je pense que son père a fabriqué lui-même la table et les chaises de la cuisine, car elles sont décorées de motifs sculptés.

J'ai parlé à Tato de la maison de poupée que le père de Maureen avait fabriquée, à sa sœur et elle. Il a dit que, si j'en faisais un dessin, il essaierait d'en fabriquer une pour Mykola et moi.

Lundi 29 juin 1914

Encore une épouvantable tragédie. Les nuages ont pleuré toute la journée parce que François-Ferdinand et Sophie ont été assassinés.

Je parle de l'archiduc François-Ferdinand, héritier de la couronne d'Autriche, et de sa femme, la princesse Sophie. Leur assassin, un étudiant, est un Serbe qui veut que son pays soit libéré de la tutelle de l'Autriche.

C'était mal, de tuer ainsi l'archiduc et la princesse. Ce doit être horrible pour leur famille! Ferdinand et Sophie avaient des enfants. Qui va s'en occuper, maintenant?

J'allais oublier! J'ai goûté quelque chose de nouveau, aujourd'hui. Après que j'ai aidé Stefan à vendre ses journaux, il m'a demandé si je voulais un sandwich. Je pensais qu'il voulait dire quelque chose de normal, comme du saindoux ou du miel, mais il m'a tendu une tranche de pain tartinée de quelque chose qui ressemblait à de la boue. Ça sentait les noix. J'y ai goûté du bout des dents. Ça goûtait les noix, mais c'était tout mou. Il a eu le temps de terminer tout son sandwich avant même que je me risque à prendre une deuxième bouchée.

« Tu n'en mourras pas », a-t-il dit. Il paraît qu'on appelle ça du beurre d'arachides. Peux-tu le croire : faire du beurre avec des arachides!

J'ai pris une grosse bouchée et j'ai failli m'étouffer! Le goût est agréable, mais c'est si visqueux que ça colle au fond de la gorge. Stefan m'a donné de grandes tapes dans le dos, puis il m'a apporté un verre d'eau. J'ai fini mon sandwich en prenant des bouchées plus petites.

Sa mère a acheté ce beurre d'arachides lors des soldes du jour de Victoria. Ses parents n'aiment pas ça, alors Stefan en mange presque tous les jours, au déjeuner et au dîner.

Stefan dit que je ne dois pas mentionner à mes parents que je suis entrée chez lui, alors que ses parents à lui n'y étaient pas. J'ai rougi quand il a dit ça! Je ne pense jamais à Stefan en tant que garçon. C'est juste un ami.

Mardi 30 juin 1914

Cher journal, il pleut encore un peu et il fait froid. Sincèrement, ça ne me dérange pas trop parce que, quand il fait chaud dehors, c'est insupportable à l'intérieur.

Je n'arrive pas à dormir parce que je n'arrête pas de penser à me trouver du travail. J'ai raconté à Stefan ce qui s'était passé à la fabrique de vêtements, et il m'a dit que c'est la loi qui veut que les enfants de moins de 14 ans ne travaillent pas. J'ai répliqué qu'il se trompait, parce que des filles plus jeunes que moi y travaillaient.

Selon lui, elles ont probablement apporté un mot de leurs parents.

Je ne pourrais pas faire ça parce que mes parents ne veulent pas que je travaille et ils ne mentiraient certainement pas à propos de mon âge. De toute façon, ni l'un ni l'autre ne peut écrire en anglais.

En parlant de Stefan, son logement occupe la moitié d'une grande pièce. Un pan de tissu suspendu à une corde à linge le sépare de l'autre moitié de la pièce. J'entendais quelqu'un qui ronflait, de l'autre côté. Stefan a dit que ses parents avaient sous-loué l'autre moitié à un travailleur de nuit. Quand ses grands frères habitaient avec eux, la famille occupait tout le logement, mais le loyer est trop cher pour trois personnes seulement. (Donc, je suppose que je n'ai rien fait de mal en me trouvant chez Stefan; nous n'étions pas vraiment seuls, après tout.) Ses parents espèrent pouvoir mettre assez d'argent de côté pour faire venir son oncle et sa tante. Un seul passage coûte 15 $ et...

Avant de me mettre au lit

Désolée, cher journal. Baba a poussé un grand cri qui m'a fait peur. Elle était en train de rouler la pâte pour les *pyrohy* quand une grosse souris noire a grimpé sur sa jupe et sauté sur la table. C'est la première fois que j'en vois une en plein jour. On ne croirait jamais que Baba a un genou malade, à la voir pourchasser cette pauvre bête dans toute la pièce.

Baba et moi avons nettoyé tout le logement, mais nous n'avons pas retrouvé la souris. Il fait presque noir maintenant. Mykola dort, mais moi, je n'arrête pas de penser que je vois des petits yeux de souris.

Oy! J'ai failli oublier de te raconter ce que Stefan fait pour aider sa famille à économiser. Il va le long de la voie ferrée et ramasse des morceaux de charbon pour leur poêle. Je devrais essayer ça.

Mercredi 1er juillet 1914

Aujourd'hui, c'est la fête du Dominion. Autrement dit, la fête du Canada. Je l'ai su parce qu'il y a un solde au magasin, et ils appellent ça le solde de la fête du Dominion. On ne dirait pas vraiment que c'est un jour de fête, et il n'y a pas de défilé.

Quand Tato est revenu du *chytalnya*, ce soir, j'ai finalement trouvé le courage de lui demander s'il signerait une lettre attestant que j'ai l'âge de travailler. Il n'a rien dit pendant presque une minute. Puis il m'a fait asseoir sur ses genoux, comme il le faisait quand j'étais petite. Il a enfoui son visage dans mes cheveux; on aurait dit qu'il pleurait. « Ma chère Anya, a-t-il dit. Essaie d'être une enfant encore quelque temps. »

Vendredi 3 juillet 1914, à l'heure du dîner

Ce matin, j'ai encore aidé Stefan à vendre ses journaux, puis nous sommes montés sur le toit pour lire un des journaux qui n'avaient pas été vendus. Lire un journal est difficile, mais c'est une bonne façon de m'exercer à parler anglais. Parfois, je lis à voix haute et Stefan me corrige. J'ai été surprise de lire un article à propos des « Ruthéniens ». C'est un autre nom pour désigner les gens de notre peuple, comme « Galiciens » ou encore « Bucoviniens ». L'article disait que le gouvernement d'ici était mécontent à cause de tous les « Ruthéniens » qui n'arrivaient pas à trouver de travail. Certaines villes ont même dû organiser des soupes populaires. C'est un peu comme la distribution de lait d'ici, sauf qu'il s'agit de soupe. On disait aussi que les gens qui se présenteraient à la soupe populaire allaient être « déportés », c'est-à-dire renvoyés dans leur ancienne patrie.

Et si ça nous arrivait, à nous? Nous sommes au bord du désastre. Je prie pour que Mama et Tato ne perdent pas leurs emplois. Si nous sommes déportés, ce sera la fin pour nous! Nous n'avons plus rien à Horoshova. Nous avons tout vendu. *Oy!* Je suis très inquiète!

Mardi 7 juillet 1914, dans mon lit

Je n'avais pas revu Stefan depuis quelques jours, mais il est venu chez nous aujourd'hui, pour me montrer un autre article paru dans le journal. Il sait que j'aime lire les articles à propos de mon peuple. Dans celui-ci, on disait que « le vote des Ruthéniens pourrait être déterminant aux élections au Manitoba ».

!?!?!?

Stefan m'a expliqué que des milliers d'Ukrainiens avaient le droit de vote au Manitoba. C'est merveilleux! Mais je suis quand même inquiète. Si, avec leur vote, ils font pencher la balance du mauvais côté, est-ce que les autres électeurs leur en voudront?

Vendredi 10 juillet 1914

Une lettre vient d'arriver d'Horoshova, juste pour moi, de la part de ma chère Halyna. Je l'ai collée dans mon journal.

25 mai 1914

Ma très chère Anya,

Tu me manques énormément. J'espère que tu vas bientôt trouver le temps de m'écrire. Horoshova me semble bien vide, sans toi. Je pense à toi qui vis dans cette belle grande maison, avec beaucoup de bonnes choses à manger et tout plein d'argent. Je suis heureuse pour toi, mais je dois t'avouer que je suis jalouse.

Quand je suis vraiment triste, je sors le tsymbaly de Volodymir et je joue un petit air. Ça me fait pleurer mais, en même temps, je me sens mieux. J'aimerais tellement pouvoir partir pour le Canada et me retrouver auprès de toi.

Ça ne va pas bien, ici. Le seigneur a encore augmenté nos impôts, et papa n'a pas l'argent qu'il faut. Te rappelles-tu Pan Smitiuch, notre instituteur? Il s'est enrôlé dans l'armée autrichienne. Ici, il n'y a plus personne pour enseigner aux plus grands, et on m'a demandé de m'occuper des plus petits. Je ne suis pas aussi instruite que Pan Smitiuch, mais je fais de mon

mieux. Les jours passent, et on dirait
qu'Horoshova est en train de devenir un village
de femmes seulement. Quand ils ne meurent pas
dans les mines de charbon, nos hommes partent
pour le Canada ou s'enrôlent dans l'armée.
J'aimerais tant que tout le monde laisse
Horoshova tranquille!
Je ne veux pas te faire de peine, alors je vais te
raconter des choses plus gaies. Il y a des fleurs
partout, et notre vache Chorna a donné
naissance à une jolie petite femelle, au nez tout
rose. Je l'ai appelée Kvitka parce qu'elle me fait
penser à la fleur qui porte ce nom. J'ai planté de
nouvelles fleurs sur la tombe de Volodymir et
aussi sur celle de ton Dido. J'ai décidé de
m'occuper de ces deux tombes et de les traiter
comme si elles étaient à ma famille, car nous
formions presque une famille.
J'espère que tu pourras bientôt m'écrire. Je pense
à toi tous les jours. Je t'envoie toute mon
affection.

Ta meilleure amie pour toujours.
Halyna

Cher journal, j'espère que je n'ai pas gâché tes pages
avec toutes mes larmes. J'étais si heureuse d'avoir reçu
une lettre d'Halyna, mais maintenant, je n'en suis plus très
sûre. Je suis inquiète pour elle et pour tous les autres à
Horoshova. On dirait qu'elle n'a pas encore reçu ma

lettre. Elle doit penser que je l'ai abandonnée. *Oy!* J'ai tellement de peine!

J'espère que ma lettre va bientôt arriver chez elle. Je lui ai raconté tous les détails affreux de notre traversée et lui ai parlé de l'endroit où nous vivons. J'ai même mentionné les cabinets qui sentent mauvais. Je lui ai dit aussi que je m'ennuyais d'Horoshova. Quand elle va lire ma lettre, elle ne sera peut-être plus aussi triste. Elle ne devrait plus se sentir jalouse, non plus.

Mercredi 15 juillet 1914

Cher journal, aujourd'hui, c'est la fête patronale de Volodymir. Au déjeuner, Baba a mis un couvert de plus, puis en nous tenant tous la main, nous avons chanté *Vichnaya Pamyat.* Je sentais ma gorge se serrer tandis que je chantais, mais je ne voulais pas pleurer parce que je savais que ça ferait pleurer Mama. Nous essayons de nous rappeler plutôt toute la joie que Volodymir apportait dans nos vies. Tato dit qu'il est inutile de s'attarder sur le chagrin. Je serai toujours reconnaissante à mon cher grand frère pour une chose en particulier : le fait qu'il nous a appris à lire et écrire, à Halyna et à moi. Ça m'apporte beaucoup de réconfort, de pouvoir rester en contact avec elle. Et si Volodymir ne m'avait pas appris à écrire, Tato ne m'aurait jamais offert ce carnet, et tu ne serais pas avec moi en ce moment, cher journal.

Plus tard

C'est la deuxième lettre que je reçois cette semaine. Celle-ci vient d'Irena. Au cas où tu l'aurais oublié, cher journal, c'est la fille que j'ai rencontrée à bord du bateau. J'ai collé sa lettre dans tes pages.

Poste restante
Hairy Hill, Alberta, Canada

Le 3 juillet 1914

Chère Anya,

Je t'avais promis que j'apprendrais à écrire. Voici donc la première lettre que je t'adresse! Es-tu fière de moi?
Comment est ta nouvelle maison? Est-ce qu'elle a vraiment trois étages? Où dors-tu? Je suis si excitée quand je pense à toi qui vis dans une si grande ville!
Notre maison n'est pas aussi belle que la tienne. Nos voisins sont très éloignés de nous et, au début, je me demandais comment mon père allait faire pour construire la maison tout seul. Elle ressemble un peu à notre vieille maison au village, mais en plus simple. Le toit est fait de tourbe, et le sol est de terre battue.
Les autres colons sont venus de la région de Willingdon (c'est à une journée entière d'ici, en voiture tirée par un cheval) pour venir aider mon père à construire la maison. Ils appellent

ça une « corvée de construction »; c'est la même chose qu'un toloka de chez nous. Ils ont monté notre maison en une seule journée! Mon père m'a montré où il vivait avant. C'était un abri enfoncé dans le sol et fait de billots sur lesquels avait été répandue de la tourbe.

Il y a d'autres enfants dans les environs, mais notre voisin le plus proche est un célibataire dont le nom est Yurij Feschuk. Il vient de notre village, dans notre pays. Il n'y a pas d'école tout près, mais il pourrait y en avoir une dans un an ou deux. Pour le moment, je vais chez des voisins mariés et, avec leurs enfants, je parcours 8 km à pied pour me rendre à l'école la plus proche.

Mon instituteur m'a aidé à écrire cette lettre; il dit que j'apprends vite.

Nous n'avons qu'une toute petite récolte de légumes et de blé parce que notre terre est encore couverte d'arbres. Mon père et moi défrichons ce que nous pouvons, tandis que Mama s'occupe d'Olya et de la maison.

J'aimerais tant pouvoir retourner dans mon ancien village avec tous mes amis et ne pas avoir à faire ce travail éreintant! Mais j'aime bien être ici avec mon père, qui n'arrête pas de me rappeler qu'au Canada, nous sommes libres.

Tu me manques, Anya! Je t'en prie, écris-moi. Parle-moi de Montréal.

Ta grande amie,
Irena

P.-S. 1 : Olya t'embrasse très fort.
P.-S. 2 : Je garde en lieu sûr le collier que tu m'as
fabriqué. Je le regarde souvent en pensant à toi.

C'est étrange, de penser à Irena qui habite dans les prairies. J'espère qu'elle va pouvoir se faire de bons amis à cette école. Stefan est peut-être agaçant par moments, mais au moins, c'est un ami. Et j'ai aussi Mary et Maureen. Je me demande où est Slava.

Lundi 20 juillet 1914

Quand je me rends au marché, je vois qu'il y a toujours plus d'hommes dans la rue, qui font la queue devant la soupe populaire.

Hier, Stefan a écrit la lettre pour le patron de la fabrique, et je l'ai signée moi-même. Dès que Mama et Tato ont été partis au travail, je me suis rendue là-bas. Devine : ils m'ont engagée!

Oh, cher journal! Comment vais-je faire pour l'annoncer à Tato? Je sais que j'ai eu tort de signer son nom, mais il le fallait. Il va être très fâché que j'aie fait quelque chose derrière son dos. J'espère que je vais arriver à le convaincre que ça pourrait sauver notre famille.

Voici à quoi ressemble cette fabrique. Il y a des rangées et des rangées de filles assises à des tables sur lesquelles sont placées des machines à coudre. La couturière en chef m'a fait asseoir à côté de Mary et m'a montré ce que je devais faire : coudre un côté d'un chemisier, puis m'arrêter. Et refaire la même chose avec un autre. Un gros tas de chemisiers à moitié cousus sont empilés dans un panier d'osier, près de moi. Quand j'ai fini tous les chemisiers, je dois passer le panier à la fille qui est devant moi et qui, elle, fait une autre couture.

Je reçois 1 ¢ pour 10 coutures. Nous sommes censées faire au moins 500 coutures par jour, mais aujourd'hui, je n'en ai fait que 234 et, en plus, je me suis piqué le pouce avec l'aiguille. Mary m'a dit que nous n'étions pas payées pour les morceaux qui étaient tachés de sang ou d'autre chose. J'espère que mes doigts vont s'endurcir! Si j'avais une machine à coudre chez nous, je pourrais terminer mon trousseau en un rien de temps!

Je suis rentrée à la maison juste avant Tato. Baba m'a regardée d'un drôle d'air, mais elle n'a rien dit.

Vendredi 24 juillet 1914

Stefan est venu frapper à ma porte dès qu'il a vu que j'étais rentrée du travail. Il m'a montré les manchettes du journal de ce matin : L'Autriche signifie son mécontentement à la Serbie. Stefan dit qu'il a entendu des hommes en parler, à la soupe populaire. Selon lui, l'Autriche croit que la Serbie a organisé l'assassinat de l'archiduc François-Joseph et de la princesse Sophie par cet étudiant. Si c'est vrai, il pourrait y avoir une guerre!

Samedi 25 juillet 1914, l'après-midi

Quand je suis revenue de ma demi-journée de travail, Stefan était assis au pied de l'escalier. « La Russie appuie la Serbie, et l'Allemagne se range du côté de l'Autriche, m'a-t-il dit. Il va probablement y avoir une guerre. »

Oy! Cher journal, j'ai peur. Horoshova est tout près de la frontière russe. S'il y a la guerre, il pourrait y avoir des combats dans notre village. J'espère que la Russie va y penser à deux fois, et l'Allemagne aussi.

Et comme un malheur n'arrive jamais seul... Te souviens-tu du monsieur avec le chapeau brun tout sale? Il est passé devant nous tandis que nous étions assis sur les marches et il a lancé un mégot de cigarette encore allumé sur Stefan. Je l'avais regardé passer et l'avais vu faire un geste de la main en nous traitant tout haut de « saletés d'Autrichiens ». Mais je n'avais pas remarqué le mégot de cigarette jusqu'à ce que le pantalon de Stefan s'enflamme. J'ai essayé d'éteindre le feu avec mes mains et je me suis brûlé la paume. Stefan a réussi à étouffer le feu en le couvrant avec son sac à journaux. Il est bien plus fâché à propos de son pantalon abîmé qu'à propos de sa jambe brûlée, car c'est le seul pantalon qu'il a. J'ai dit à Stefan qu'il devrait aller en informer la police, mais il a ri et a répondu : « Penses-tu vraiment qu'ils prendraient notre parti? »

Lundi 27 juillet 1914

Je savais que quelque chose n'allait pas, sans même avoir lu le journal. Ce matin, un de nos voisins se faisait battre par des voyous dans la rue et appelait à l'aide, mais je ne pouvais rien faire pour lui et j'ai couru jusqu'à mon travail. Quand je suis arrivée là-bas et que j'ai pointé ma fiche de présence, le patron a grommelé quelque chose comme : « Vous, les Autrichiens, on ne peut jamais compter sur vous. »

Mary m'a dit que l'Autriche et la Serbie étaient sur le point de se déclarer la guerre. Les deux gouvernements ne s'adressent plus la parole. *Oy!* Ça va vraiment mal!

Quand j'ai quitté la fabrique, Stefan nous attendait, Mary et moi. Il portait son pantalon brûlé et avait un pansement sur la jambe. Il a dit que, « en ces temps difficiles », les filles d'immigrants n'étaient pas en sécurité. Ça m'a inquiétée pour Mama : elle doit faire un long trajet en tramway, puis à pied. Est-elle en sécurité, elle?

Quand nous sommes arrivés au marché, la dame qui me vend habituellement des oignons m'a regardée d'un œil mauvais et m'a rendu ma monnaie avec brusquerie. Au moins, elle ne m'a pas traitée d'Autrichienne.

Mercredi 29 juillet 1914, après le travail

L'Autriche a déclaré la guerre à la Serbie! Au travail, toutes les filles en parlaient. J'ai si peur! Ça va très, très mal.

Jeudi 30 juillet 1914, dans mon lit

Hier soir, Tato est encore resté très tard au *chytalnya*. Mama avait l'air si inquiète que je suis restée auprès d'elle jusqu'à ce que Tato soit rentré. J'ai souhaité bonne nuit à

Tato et je me suis mise au lit en pensant que j'allais tout de suite m'endormir, mais non. J'entendais Mama et Tato qui parlaient tout bas dans l'autre pièce.

Tato a raconté qu'au *chytalnya*, les gens ne parlaient que de la guerre. Dans le journal d'aujourd'hui, on disait que plus d'un million de soldats russes se préparaient pour le combat. Si la Russie entre en guerre, qu'arrivera-t-il à Horoshova? Nous sommes si près de la frontière!

Vendredi 31 juillet 1914, après le travail

Aujourd'hui, il faisait si chaud et humide à la fabrique que j'ai failli m'évanouir. Pendant la pause, une des filles m'a montré le journal. On n'y parle que de la guerre. En première page, on dit que les Autrichiens sont passés à l'attaque et que les Russes sont prêts à riposter. On disait aussi que le Canada pourrait bien participer aux combats. *Oy!* Ça n'annonce rien de bon pour qui que ce soit!

Dimanche 2 août 1914, après la messe

Tato ne vient pas souvent à l'église avec nous, mais il l'a fait aujourd'hui. Le prêtre a lu une lettre qui avait été écrite par Monseigneur Budka. Celui-ci suggère à tous les hommes qui sont en âge de se battre de rentrer en Galicie et de joindre les rangs de l'armée autrichienne pour défendre nos terres.

Sur le chemin du retour, Mama et Tato ne se sont pas dit un mot, puis ils se sont enfermés dans la chambre pour discuter. J'avais l'oreille collée contre la porte et j'ai tout entendu. La lettre de Monseigneur Budka a fait réfléchir

Tato. Je pouvais entendre sa voix brisée par l'émotion et, même si je ne pouvais pas la voir, je crois que Mama était assise à côté de lui, sur le lit, et qu'elle le serrait dans ses bras. Je ne veux pas que Tato s'en aille. Nous sommes venus au Canada justement pour échapper à tout ça, il me semble. Mais Tato a dit : « Qu'arrivera-t-il, si les Russes envahissent Horoshova? »

Mon cœur s'est mis à battre très fort, à cette idée. Pourquoi tous ces pays veulent-ils se battre? Mama a dit à Tato qu'il devait penser à Mykola, à moi, à elle et à Baba avant de penser à Horoshova. Ensuite, je les ai entendus pleurer, tous les deux.

Lundi 3 août 1914, au dîner

Oy! Cher journal, ça va vraiment très mal. Au moment où je partais travailler ce matin, Stefan m'a montré les manchettes d'aujourd'hui. L'Allemagne a déclaré la guerre à la Russie! Et l'Allemagne a envahi la France! La Grande-Bretagne s'en mêle aussi. Selon Stefan, ça veut dire que le Canada va être en guerre aussi!

Pendant toute la matinée, j'ai été si préoccupée par tout ça que je n'ai pas été aussi attentive que d'habitude à mon travail. Je me suis piquée avec l'aiguille. Il a fallu que je me bande le doigt très serré avec un bout de tissu pour ne pas gâcher les morceaux de chemise avec mon sang.

Mardi 4 août 1914, après le travail

Tato a perdu son travail. Ils ont licencié les Ukrainiens, à l'usine. Quand Tato a demandé pourquoi, son patron a répondu : « Pour des raisons patriotiques ».

Je ne savais pas ce que ça voulait dire, alors j'ai demandé à Mary. Elle m'a dit que ça signifiait qu'ils n'aimaient pas les étrangers. Selon elle, le fait que Monseigneur Budka a suggéré aux Galiciens de retourner dans leur pays et de se battre aux côtés des Autrichiens et des Allemands n'a rien arrangé. Je lui ai demandé si nous risquions, nous aussi, de nous faire renvoyer, mais selon elle, nous n'avons pas à nous inquiéter parce que notre patron ne pourrait jamais trouver assez de Canadiennes pour nous remplacer.

Plus tard

Je n'avais plus le choix. J'ai été obligée de dire à Tato que j'avais trouvé un emploi. De toute façon, maintenant qu'il va passer ses journées à la maison, il aurait fini par le découvrir.

Il n'était pas content que j'aie agi derrière son dos. J'avais tellement honte que j'ai fondu en larmes. Je lui ai expliqué que je l'avais fait pour la famille et je lui ai tendu les 5,71 $ que j'avais gagnés jusqu'à maintenant. Il a posé l'argent sur la table, puis il m'a fait asseoir sur ses genoux. « C'est moi qui devrais être le soutien de famille, pas ma femme ni ma fille. »

« Ça va s'arranger », lui ai-je murmuré.

Il m'a serrée très fort dans ses bras. Je sentais ses larmes qui coulaient sur ma joue.

Je suis soulagée de le lui avoir dit. Je n'aime pas cacher des choses à mes parents.

Mercredi 5 août 1914

Comme je travaille à l'extérieur, Tato est allé tout seul au marché, mais Baba a rouspété quand elle a vu ce qu'il avait choisi. Les oignons sont flétris, il a acheté les œufs qui coûtaient le plus cher, par erreur, et il a oublié d'acheter du savon. Alors la prochaine fois, nous irons ensemble.

Au coucher du soleil, sur mon toit

J'ai la main qui tremble en écrivant ceci. C'est arrivé. Le Canada entre en guerre.

Plus tard

Stefan m'a dit que les journaux étaient pleins d'histoires à propos du « problème des étrangers » et du fardeau que nous représentons pour le Canada. Comment peut-on dire des choses pareilles dans les journaux?

Tato s'est présenté dans toutes les usines, à des milles à la ronde, mais personne n'a voulu l'embaucher. Tato dit qu'ils le prennent pour un ennemi.

J'ai peur pour Halyna et tous nos chers amis à Horoshova.

Vendredi 7 août 1914, tard le soir

Ce matin, Tato m'a accompagnée jusqu'à mon travail. Il a essayé de me faire croire que c'était juste pour me tenir compagnie, mais je pense qu'il craint pour ma sécurité.

Tato passe ses journées soit au *chytalnya*, soit à se chercher du travail.

J'allais oublier : Mama aussi se fait accompagner au travail. La gouvernante de Mme Haggarty, Mme Casey, monte dans le tramway un arrêt avant le nôtre. Tato accompagne donc Mama jusqu'à notre arrêt et la regarde monter dans le tram. Mama est seule jusqu'au prochain arrêt, puis Mme Casey monte à son tour et s'assoit avec elle pour le reste du trajet. Mme Haggarty envoie son jardinier les chercher à l'arrêt, et il les ramène jusque chez elle.

Mama dit que Mme Casey a l'air sévère, mais qu'en réalité, elle est très gentille. Toutes deux se sentent plus en sécurité en faisant le trajet ensemble. Je serais bien d'accord pour que des femmes comme Mme Haggarty aient le droit de vote.

Mme Casey devrait aussi avoir le droit de voter.

Plus tard

Mama aussi devrait pouvoir voter.

Samedi 8 août 1914, après le souper

Aujourd'hui, Tato a passé presque toute la journée au *chytalnya*. Même après être rentré à la maison, il semble toujours continuer à penser à tout ce qu'il a entendu ou discuté là-bas. On y parle probablement de la guerre, et rien que de ça. Parfois il en parle à Mama, quand il pense que personne d'autre n'écoute. D'autres fois, il garde tout pour lui.

Il faisait si chaud à la fabrique hier qu'une des filles s'est évanouie. Il fait de plus en plus chaud et étouffant dans notre logement. Il fait chaud sur le toit aussi, mais au moins, il y a une petite brise et, aujourd'hui, il y fait un peu plus frais.

Dimanche 9 août 1914

Aujourd'hui, Tato est encore venu à l'église avec nous, et on y a lu, à voix haute, une autre lettre de Monseigneur Budka. Il dit que, puisque la Grande-Bretagne et le Canada sont maintenant engagés dans cette guerre, il appuie la Grande-Bretagne. Allez donc y comprendre quelque chose! La Grande-Bretagne et le Canada sont du même côté que la Russie. Il me semble que la Russie est l'ennemi de la Galicie, non? Tato est fâché contre Monseigneur Budka. Il dit que c'est à cause de sa lettre de la semaine dernière que tant d'Ukrainiens ont perdu leur travail.

Mardi 11 août 1914

Cher journal, les jours se suivent, tous plus monotones les uns que les autres. Il fait très chaud à la fabrique, et pas tellement plus frais à la maison. Halyna m'a envoyé une autre lettre, datée d'avant le début de la guerre. La voici :

Horoshova, comté de Borschiv, Galicie
24 juillet 1914

Très chère Anya,

Merci pour ta lettre du mois de mai. C'était très intéressant de lire ce que tu me racontais à propos de ta traversée de l'océan et de ta nouvelle maison. Je suis très contente de savoir que tu vas à l'école et que tu apprends l'anglais. Ici, ça ne va pas très bien. Comme tu le sais, l'archiduc a été assassiné. Ça nous a causé beaucoup d'ennuis. Ils disent qu'il va y avoir la guerre. L'armée se cherche des soldats, mais elle convoite aussi nos récoltes. Nos impôts ont tellement augmenté que nous allons probablement finir par manquer de nourriture. J'ai une autre nouvelle pour toi et j'espère que tu ne seras pas fâchée. Je me suis fiancée. Je suis sûre que tu te souviens de Bohdan Onyshevsky. Je sais que vous ne vous êtes jamais très bien entendus, mais il est beaucoup plus gentil que tu ne le crois. J'espère que tu vas nous donner ta bénédiction. J'aime toujours notre cher Volodymir, mais il est mort et la vie doit continuer. Bohdan a offert à mes parents de les aider avec leurs impôts. Je ne suis pas amoureuse de lui, mais il est gentil. Peut-être que, maintenant que tu es au Canada, tu vas pouvoir choisir toi-même ton mari. J'aimerais tant vivre au Canada, moi aussi.

Te rappelles-tu Kvitka, mon petit veau femelle?
Elle a beaucoup grandi. Les soldats ont pris sa
mère, Chorna. Nous n'aurons donc plus de lait
tant que Kvitka ne sera pas plus grande.
S'il te plaît, écris-moi et parle-moi de ta vie
merveilleuse. Je suis ravie que tu sois heureuse
et en sécurité.

Ton amie pour toujours,
Halyna

Oh! cher journal, mon cœur s'est presque arrêté de battre quand j'ai lu qu'Halyna allait se marier avec l'affreux Bohdan! C'est évident que tous les hommes sont partis. Je ne sais pas si je devrais raconter à Halyna tout ce qui m'arrive. Je ne voudrais pas l'inquiéter. Mais c'est mon amie, alors je dois lui dire la vérité. Peut-être que ça l'aidera à mieux accepter sa vie.

Dimanche 16 août 1914

Aujourd'hui, quand nous allions à l'église, un homme s'est précipité sur Baba et a empoigné son fichu. Baba a retenu son fichu du mieux qu'elle le pouvait pour empêcher l'homme de le lui enlever. L'homme a tiré si fort qu'il a fait tomber Baba par terre; elle n'a pas lâché prise. Tato a crié après l'homme, mais en vain. Deux ou trois hommes et même une femme s'étaient arrêtés pour regarder la scène. Ils riaient tous de Baba en lui disant qu'elle ferait mieux de retourner là d'où elle était venue.

Tato est devenu rouge de colère et il a donné un coup

de poing sur la bouche de l'homme, qui a fini par lâcher le fichu de Baba. Mama et moi avons aidé Baba à se relever. Il y avait du sang sur les dents de l'homme. Et là, il a donné un coup de poing dans le ventre de Tato, si fort que Tato est tombé par terre. J'étais horrifiée. Je me suis précipitée pour l'aider, mais avant que je puisse l'atteindre, un autre homme lui a donné un coup de pied dans les côtes. C'est alors que quelques habitués du *chytalnya* sont venus défendre Tato. Les autres hommes se sont dispersés. Je n'ose même pas penser à ce qui aurait pu arriver si les amis de Tato n'étaient pas arrivés à ce moment-là.

Mama a dit que nous devrions peut-être retourner chez nous, mais Tato a secoué la poussière de ses vêtements, puis a examiné Baba pour voir si elle était blessée. Sans dire un mot, il lui a offert son bras, et elle l'a pris. Mama marchait de l'autre côté de Tato et elle a doucement placé son bras derrière le dos de Tato afin de l'aider à ne pas trop boiter.

Mykola semblait sur le point d'éclater en sanglots. « Veux-tu monter sur mon dos? » ai-je demandé.

Il a esquissé un sourire. Alors, je me suis accroupie pour le laisser monter, puis nous avons poursuivi notre route vers l'église.

Plus tard

À notre retour de l'église, Stefan est venu me rejoindre sur le toit et s'est assis près de moi. « Qu'est-ce que c'est, toutes ces petites boules jaunes et blanches? » m'a-t-il demandé, en regardant à mes pieds. C'étaient les perles de verre du magnifique collier qu'Irena avait fabriqué pour moi. Le fil avait dû se casser sans que je m'en aperçoive. Je me suis levée, j'ai secoué mes vêtements, et d'autres perles sont tombées. J'espérais que la perle en verre de Venise, celle qui est si belle, était restée coincée dans mes vêtements et que je ne l'avais pas perdue. Stefan s'est mis à quatre pattes et m'a aidé à la chercher, mais sans succès. Je ne sais pas quand mon collier s'est rompu. Peut-être quand j'ai pris Mykola sur mon dos?

Je suis triste d'avoir brisé le collier qu'Irena m'avait fait. Si seulement je n'avais pas perdu la perle de Venise, j'aurais pu le réparer. *Oy!* Les choses peuvent-elles empirer?

Jeudi 20 août 1914, après le travail

Je n'ai pas grand-chose de nouveau à raconter, sauf que Mary avait les yeux rouges, ce matin. Elle m'a dit que son grand frère s'était enrôlé dans l'armée canadienne. Je ne savais même pas qu'elle avait un frère. Elle ne m'en avait jamais parlé. Il habite Toronto, semble-t-il, et il parle bien l'anglais. Son nom est Ihor, mais il se fait appeler Georges.

Vendredi 21 août 1914

Il a plu toute la journée. J'étais trempée en arrivant au travail, et en rentrant à la maison.

Plus tard

Tato vient d'arriver. Il dit que le gouvernement a proclamé ce qu'on appelle la *Loi sur les mesures de guerre*. Ça veut dire que les gens qui sont arrivés récemment de l'Autriche-Hongrie et de l'Allemagne ne peuvent plus recevoir de journaux ni de courrier de chez eux et que, si le gouvernement le désire, il peut confisquer nos biens parce que nous sommes des « sujets d'un pays ennemi ». Quels biens pourrait-il confisquer? Nous en avons si peu!

Lundi 24 août 1914

Au coucher du soleil, sur mon toit

Je couds de mieux en mieux. Mes points sont si réguliers que le patron m'a fait changer de tâche. D'un côté, je suis triste parce que je ne suis plus assise près de Mary; par contre, je gagne plus d'argent. Je travaille maintenant à la machine à boutonnières. C'est plus difficile, et Mary m'a dit qu'ils avaient du mal à trouver de bonnes ouvrières pour ce travail. Je vais faire de mon mieux, même si ça veut dire que je dois rester plus tard à la fabrique. Il ne faut surtout pas que je perde ce travail. Ma famille a besoin de mon salaire pour survivre.

Mardi 25 août 1914

Il fait plutôt froid, cher journal, et je me sens le cœur glacé. Selon les dispositions de la *Loi sur les mesures de guerre*, les hommes qui ne sont pas des « citoyens britanniques naturalisés » doivent se présenter aux bureaux de l'Immigration, rue St-Antoine. Ça veut dire que Tato doit y aller, lui aussi! Il s'y est rendu aujourd'hui, pour la première fois. Certains y sont retenus prisonniers, dont le père de Slava! Où Slava peut-elle bien être, maintenant? Je suis inquiète à son sujet.

Jeudi 27 août 1914

Les Russes ont envahi l'Allemagne. Chaque jour, les nouvelles empirent. Ma vie est un enfer, et tout ça à cause d'un étudiant qui a tué l'archiduc.

C'est peut-être affreux à dire mais, même si ça va mal au Canada, je suis bien contente que nous soyons ici, plutôt qu'à Horoshova. Si nous étions là-bas, Tato serait peut-être mort, à l'heure qu'il est.

Vendredi 28 août 1914, dans mon lit

Les Allemands ont envahi le nord de la France. On dit que c'est « un terrible combat qui fait rage partout dans le monde ». Je suis peinée pour tous les gens qui se font tuer. Tout ça, à cause d'une querelle entre l'Autriche et la Serbie.

Samedi 29 août 1914

Les Britanniques ont coulé quatre navires de guerre allemands. C'est bien que la Grande-Bretagne prenne le dessus, mais qu'en est-il de tous ces Allemands? Ils n'ont pas mérité de mourir. Personne ne mérite de mourir, dans cette guerre. C'est si injuste!

Comme ce n'est plus sécuritaire d'aller dehors, je

travaille à mon trousseau. C'est une vie bien monotone :
je couds toute la semaine dans une fabrique, puis je couds
à la main toute la fin de semaine. Mais je dois m'occuper,
afin de ne pas trop penser à la guerre.

Lundi 31 août 1914

Il faisait si beau aujourd'hui que j'ai demandé à Tato si
nous pouvons aller au marché ensemble. Il fait les
emplettes de mieux en mieux, mais j'ai besoin de prendre
l'air de temps à autre. J'ai été choquée par le manque de
politesse de certains fermiers à l'égard de Tato. Des gens
à qui j'avais l'habitude d'acheter certains produits ne
veulent plus nous en vendre. Heureusement, il y a encore
des fermiers qui veulent de nous comme clients!

Mercredi 2 septembre 1914

Aujourd'hui, je me force à avoir l'air gaie, même si j'ai
le cœur brisé. Mykola entre à l'école, mais pas moi.
Comment pourrais-je aller à l'école, alors que j'ai un aussi
bon travail? Tato était furieux contre moi quand je lui ai
dit que je n'arrêterais pas de travailler, mais je sais qu'au
fond, il est soulagé. Après être resté quelques instants assis
à table sans rien dire, il a déclaré que, si sa fille n'allait pas
à l'école, alors son fils irait. Je trouve que Mykola est trop
jeune pour commencer l'école, mais Stefan dit que des
garçons de son âge y vont et que Mykola devrait donc y
aller aussi. De toute façon, il n'a personne avec qui jouer,
puisque je travaille à l'extérieur. Stefan a dit qu'il
emmènerait Mykola avec lui à l'école Sarsfield et a promis

de veiller sur lui. J'espère seulement que Stefan ne changera pas d'avis.

J'aimerais bien avoir le même genre de travail que Stefan, car je pourrais à la fois travailler et aller à l'école, mais je dois me contenter de ce que j'ai. Je suis fière de pouvoir aider ma famille à s'en sortir.

Vendredi 4 septembre 1914

Aujourd'hui, lorsque Mykola est rentré de l'école, il avait une lèvre ensanglantée et un grand sourire. Il a dit que le garçon le plus fort de l'école avait essayé de le battre, mais qu'il s'était bien défendu. « Tu devrais voir de quoi il a l'air, lui », a-t-il ajouté. Je lui ai demandé où se trouvait Stefan quand c'était arrivé. « Il se faisait battre, lui aussi », a répondu Mykola.

Oy! Mon petit frère grandit trop vite. J'aurais préféré qu'il n'apprenne pas à se battre, mais je sais qu'il n'a pas le choix. Au moins, il tient tête aux autres.

Dimanche 6 septembre 1914

C'est la fête patronale de Mykola, et il a maintenent six ans. Il était de mauvaise humeur parce qu'il a plu à verse toute la journée et qu'il aurait voulu aller jouer sur le toit avec moi. Baba et moi lui avons fait une belle surprise avec notre cadeau très spécial. J'avais pu acheter du tissu et des boutons de la couturière en chef, à un prix raisonnable, et elle m'a permis de rester à la fabrique, après la journée de travail. J'ai confectionné une chemise canadienne pour Mykola. Je ne sais pas faire les pantalons à la machine à coudre, alors j'ai apporté du tissu pour en confectionner un à la maison. Pendant que Mykola était à l'école, Baba lui a cousu à la main un pantalon canadien. Tu aurais dû voir les yeux de mon frère quand il a ouvert le paquet! Peut-être qu'à partir de maintenant, il n'aura plus besoin de se battre.

Mama lui a donné une paire de chaussettes tricotées à la main, et Tato lui a donné 1 ¢. Mykola ne voulait pas l'accepter, mais Tato a insisté. Je me demande ce qu'il va acheter avec ça.

J'allais oublier : il restait un peu de tissu, alors je l'ai donné à Stefan. Sa mère a rapiécé son pantalon, et il paraît beaucoup mieux maintenant.

Vendredi 11 septembre 1914

Les forces britanniques ont fait reculer les Allemands de 37 milles! *Oy!* J'espère que cette guerre sera bientôt finie.

Ma vie est monotone, et tous les jours se ressemblent. Les seules nouvelles que nous avons viennent du journal, et elles ne sont pas bonnes!

Mardi 29 septembre 1914

Cher journal, je suis absolument désolée de ne t'avoir pas écrit plus souvent, mais je n'ai rien à raconter, à part toutes ces mauvaises nouvelles à propos de la guerre. Tous les jours se ressemblent, et j'ai les mains si fatiguées, à force de travailler toute la journée à la fabrique, que je ne veux pas écrire dans tes pages, à moins d'avoir quelque chose de nouveau à dire.

Mercredi 7 octobre 1914
(froid toute la journée)

Dans le journal, on dit que 22 000 soldats canadiens vont aller s'entraîner en Grande-Bretagne. Je me demande si le frère de Mary est parmi eux.

Lundi 19 octobre 1914
(froid et pluvieux, comme dans mon cœur)

Cher journal, je n'ai pas vraiment le cœur à écrire. La guerre se passe bien pour le Canada, et c'est tant mieux, mais je me demande comment c'est, chez nous, là-bas. Depuis l'application de la *Loi sur les mesures de guerre*, je n'ai plus reçu de lettres ni de nouvelles d'Halyna. D'après ce qu'on peut lire dans le journal, il y a probablement des combats à Horoshova même. Je suis si triste et si inquiète!

Mardi 27 octobre 1914

Quand je me suis réveillée ce matin, j'ai vu du givre sur la vitre de ma fenêtre et, en allant travailler, j'ai remarqué que les flaques d'eau étaient gelées. Encore une fois, je trouve que le temps qu'il fait correspond assez bien à mon état d'esprit. Dans le journal d'aujourd'hui, il y avait une carte du nord de l'Europe montrant les lignes ennemies. J'aimerais bien voir une carte indiquant ce qui se passe dans l'est de l'Europe! C'est dur de n'avoir aucune nouvelle de son pays. Dans le journal, on dit aussi que les

Alliés (c'est-à-dire le Canada, la Grande-Bretagne, la France et la Russie) ont fait des prisonniers. Je me demande s'il y en a parmi eux qui viennent d'Horoshova.

Dimanche 1ᵉʳ novembre 1914

Cher journal, j'ai toujours trop mal aux mains pour écrire ou pour travailler à mon trousseau. Je vais simplement me rouler en boule contre mon oreiller et essayer de penser à des choses gaies.

Mardi 10 novembre 1914

La machine à boutonnières est difficile à utiliser, et je me suis piqué les doigts plus d'une fois, mais je m'en tire bien et j'ai besoin de ce travail. Hier matin, la vitre de ma fenêtre était givrée, et j'avais les mains bleuies par le froid en arrivant à la fabrique, mais il fait plus doux maintenant.

Toutes mes journées se ressemblent

Dimanche 29 novembre 1914

Aujourd'hui, dans le journal, on dit que huit Croix de Victoria ont été décernées en Angleterre. Cinq d'entre elles ont été remises à de simples soldats, et trois, à des officiers. Je me demande si le frère de Mary en a reçu une.

x x x x x x
x x x x x x

Samedi 19 décembre 1914

*Tard le soir, exténuée après
une merveilleuse journée!*

Quand je suis rentrée du travail, à l'heure du dîner, Mama, Tato, Baba et Mykola étaient tous assis à table, et ils souriaient. Deux petits paquets enveloppés dans un tissu rouge et attachés avec une ficelle étaient posés sur la table.

J'avais oublié que c'était le jour de la Saint-Nicolas.

Sais-tu ce qu'il y avait dans les paquets, cher journal? Une magnifique fillette sculptée, avec des tresses faites de vrais cheveux, un fichu en tissu et une petite jupe à fleurs. Dans le paquet de Mykola, il y avait un petit garçon sculpté, portant une veste en peau de mouton.

C'est Tato qui a sculpté les poupées; Mama et Baba ont confectionné les vêtements. Je ne sais pas du tout quand ils ont fait tout ça. Probablement quand j'étais au travail ou au lit. Mykola avait l'air de savoir que nous allions recevoir ces cadeaux. Tato a dit qu'il n'avait pas encore eu le temps de fabriquer la maison de poupée, mais que ça viendrait. Il veut que je reste une enfant pour un petit bout de temps encore.

Je me sens mal de n'avoir aucun présent à offrir, mais Mama a dit que j'étais déjà très généreuse tous les jours, si l'on considère mon travail et le fait que je m'occupe du pot de chambre de Baba!

Mercredi 23 décembre 1914 (froid!)

Une lettre m'attendait, quand je suis rentrée du travail! Avant même d'avoir vu le timbre ou l'adresse de l'expéditeur, je savais qu'elle ne pouvait pas venir d'Halyna, à cause de la *Loi sur les mesures de guerre*. Elle était d'Irena. Voici ce qu'elle m'a écrit :

Poste restante
Hairy Hill, Alberta, Canada
Le 30 novembre 1914

Chère Anya,

Désolée de ne pas t'avoir écrit plus tôt. C'est difficile à croire, mais il y a tant de travail à faire sur une terre de colonisation! Je me demande bien comment mon père se débrouillait, avant que nous arrivions, Mama, Olya et moi! Nos récoltes ont été modestes cette année parce que nous avons réussi à défricher quelques acres seulement sur les 160 que nous possédons.
Tu serais surprise de voir comme l'air est sec, ici. Mama en a la paume des mains toute fendillée, et ça prend du temps à guérir.
Nous avons quand même engrangé nos maigres récoltes : nos légumes sont maintenant dans la cave, et nos céréales, dans de grands sacs de toile. Papa a acheté un mousquet et des munitions à un Indien, et il va à la chasse avec

notre voisin. C'est bien parce que, sans les
canards et les oies, nous aurions faim. Papa dit
qu'on peut toujours compter sur les Indiens
quand ça va mal, parce qu'ils ne nous
regardent pas de haut.
Nous avons entendu dire que, dans les villes,
des immigrants nouvellement arrivés avaient
été emprisonnés. Est-ce que c'est vrai? Nos
hommes doivent se rendre en ville, à un bureau
du gouvernement, et faire estampiller leurs
documents, mais c'est tout.
Olya t'embrasse et moi aussi. Mama envoie ses
salutations à ta Baba et ta Mama.

Ta chère amie,
Irena

Vendredi 25 décembre 1914 (encore plus froid!)

Je suis toute pelotonnée dans mon édredon, même si on est en plein jour!

Cher journal, les Canadiens fêtent Noël aujourd'hui, alors j'ai congé. Il fait extrêmement froid. J'ai du mal à le croire. Il ne fait jamais aussi froid que ça à Horoshova. Tout à l'heure, Stefan et ses parents sont montés nous rendre visite et ils ont dit que notre logement est plus chaud que le leur! Chez eux, il faisait deux degrés au-dessous de zéro!

Lundi 28 décembre 1914

Dans le journal d'aujourd'hui, on dit que l'armée russe a fait 17 000 prisonniers en Galicie et dans les Carpates. Je ne peux plus entendre parler de ce qui se passe sans me mettre à pleurer. Je me demande combien de nos hommes ont été arrêtés au Canada.

Plus tard

Tato a dit que je pourrais l'accompagner demain aux bureaux de l'Immigration où il doit se présenter tous les mardis, depuis la mise en application de la *Loi sur les mesures de guerre*. Selon lui, ce n'est pas un endroit pour une fille, mais je lui ai dit que je voulais voir moi-même qui on y retenait prisonnier.

Encore plus tard

Mama et Baba m'étonneront toujours! Même si nous avons très peu à manger pour nous tous, elles ont fait un petit paquet de biscuits au miel (elles ont utilisé du sirop de maïs, car le miel est trop cher) que je dois apporter aux prisonniers. Mama dit que la vie est dure pour nous, mais que nous pouvons quand même continuer de vivre tous ensemble à la maison et que nous devons penser à ceux qui ont moins de chance.

Mardi 29 décembre 1914

Tato est venu me rejoindre à la fabrique après mon travail. Il avait apporté le paquet de biscuits. Tout en marchant vers les bureaux de l'Immigration, nous avons parlé de ce qu'il y avait dans le journal d'aujourd'hui. L'armée russe est aux portes de notre région. J'ai très peur, car le tsar de Russie veut conquérir notre peuple. Autre chose : la moitié de l'armée autrichienne a été décimée. Qui va-t-il rester, après cette guerre? C'est dommage que l'Ukraine partage ses frontières avec l'Allemagne, l'Autriche et la Russie!

Quand nous sommes ressortis du bâtiment de l'Immigration, j'étais au bord des larmes. Ils ont emprisonné tant d'immigrants!

Les hommes avaient l'air contents des biscuits, mais nous en avions si peu que certains n'en ont eu que quelques bouchées. Ensuite, nous avons fait la queue pendant à peu près une demi-heure, et Tato a fait estampiller sa fiche d'inscription. Il doit la porter sur lui, partout où il va.

Sais-tu qui est soldat là-bas? Tu ne le croiras jamais! Tu te rappelles l'affreux monsieur avec un chapeau brun tout sale? C'est lui! Il est soldat et il s'appelle Howard Smythe. Comme il porte l'uniforme maintenant, j'ai failli ne pas le reconnaître. Mais au moment où nous repartions, il a murmuré quelque chose de si épouvantable que je ne peux pas l'écrire ici. Tato me tirait par la manche, mais je me suis retournée et j'ai regardé Howard Smythe. Il a les yeux gris et des sourcils noirs, et il serait même assez beau si ce n'était sa personnalité.

1915

Svyat Vechir, c'est-à-dire
la veille de Noël en français

Oy! Comment peut-on fêter *Svyat Vechir* sans cantiques? Mais comment pourrions-nous nous promener dehors en chantant des cantiques, quand les gens nous en veulent à ce point? Au moins, la neige recouvre les déchets et la suie dans les rues. Baba m'a encore étonnée. Elle a trouvé le moyen de préparer un petit quelque chose pour les 12 services du souper traditionnel. Chaque plat était très petit, mais voici ce que nous avons mangé. Je vais écrire les noms en français entre parenthèses.

1. *kolach* (brioche tressée)
2. *borshch* (soupe à la betterave)
3. *vushka* (pâtes farcies aux champignons, pour aller avec le borshch)
4. *nalysnyky* aux champignons (crêpes très fines)
5. *pyrohy* au fromage et aux pommes de terre
6. *pyrohy* à la choucroute
7. *pyrohy* au kasha (pirojkis au sarrasin)
8. *holubtsi* sans viande (cigares au chou farcis de riz et de champignons)
9. *studenetz* (poisson en gelée : beurk!)
10. *kutya* (mon plat préféré; c'est un dessert fait de graines de pavots, de miel, de noix et de céréales)
11. compote (très bon aussi : des fruits cuits)

12. et même un gâteau (pour la première fois dans notre nouvelle maison).

Baba doit avoir planifié tout ça pendant des semaines. Nous avons mis un couvert de plus afin que les âmes de Volodymir et de Dido puissent se joindre à nous. Mais je crois qu'ils auraient mieux fait de rester au Ciel, car il fait très froid ici. Par contre, cela leur permet d'apprécier la cuisine de Baba! Il est très tard, et je dois travailler demain, même si c'est *Rizdvo*, notre jour de Noël. Bonne nuit, cher journal, et *Veselykh Svyat*. Autrement dit : Joyeuses Fêtes!

Jeudi 7 janvier 1915

Rizdvo, tard le soir

C'est le pire Noël de toute ma vie. Ça ne me dérangeait pas de travailler le jour de *Ridzvo*, vraiment pas. Nous avons besoin d'argent. Mais quand je suis rentrée chez nous, j'ai trouvé Mama en larmes. Elle avait été renvoyée. Mme Haggarty ne voulait pas le faire. Elle est gentille et elle lui a même donné un paquet de nourriture aujourd'hui, à rapporter à la maison. Mme Haggarty a dit que c'était « pour le bien » de Mama qu'elle ne travaille plus chez elle, mais qu'une fois la guerre terminée, elle pourrait reprendre son emploi.

Je suis si furieuse! Mme Haggarty ne se rend-elle pas compte que nous comptons sur le salaire de Mama pour survivre? *Oy!* Qu'allons-nous faire?

Samedi 9 janvier 1915

J'ai mal aux mains, et tous les jours se ressemblent. Rien de nouveau à raconter.

Mercredi 20 janvier 1915, après le travail

Voilà, ce que je craignais est arrivé. Notre loyer devait être payé le 15 janvier. Nous avons donné autant que nous le pouvions, mais le propriétaire nous mettra à la rue si nous ne pouvons pas verser le reste du montant d'ici la fin de la semaine.

Jeudi 21 janvier 1915

Mama m'a accompagnée à la fabrique aujourd'hui. Je pensais qu'on l'engagerait, mais ils ont dit qu'elle était trop vieille. Elle a gardé la tête haute, mais je pouvais voir que ses yeux étaient pleins de larmes. Comment allons-nous faire? Que va-t-il nous arriver?

Samedi 23 janvier 1915

Je n'ai que quelques minutes pour t'écrire, car nous déménageons!

Le propriétaire est venu aujourd'hui et il a dit que nous devions avoir quitté notre logement avant minuit. Peu lui importe qu'il y ait une tempête de neige. Nous devons partir. Où irons-nous? J'ai si peur!

Dimanche 24 janvier 1915, chez Stefan

Heureusement qu'il y avait Stefan et ses parents. La personne qui louait l'autre moitié de leur logement a été arrêtée. M. Pemlych a perdu son emploi, lui aussi, et ils ont de la difficulté à payer leur loyer. Ils nous ont donc loué l'autre moitié de leur logement. Avec mon travail, celui de Stefan et ce que gagne Mme Pemlych, nous avons suffisamment d'argent pour payer le loyer. Il en reste très peu pour la nourriture.

Lundi 25 janvier 1915

Au coucher du soleil, chez Stefan

Je sais que ce n'est pas bien de dire ça, mais je suis presque contente que le pensionnaire des Pemlych ait été arrêté. Où serions-nous allés, s'il habitait encore chez eux?

Vendredi 29 janvier 1915

J'étais trop triste et j'avais trop froid pour pouvoir écrire. De toute façon, les jours se ressemblent tous.

Lundi 8 février 1915

Tato et moi nous sommes disputés aujourd'hui. Il a dit qu'il allait faire la queue à la soupe populaire. Je l'ai averti que les gens qui allaient à la soupe populaire risquaient de se faire arrêter. Il ne m'a pas crue, cher journal! Je suis si inquiète à son sujet! Il nous reste encore quelques pommes de terre et un quart de baril de farine. Mykola peut encore avoir du lait gratuitement. Je sais que ce n'est pas grand-chose à manger, mais je préfère avoir faim plutôt que de risquer de voir Tato arrêté.

Mercredi 10 février 1915

Ma fête patronale. J'ai maintenant 13 ans.

Aujourd'hui, au dîner, Mary et les autres filles ont chanté *Mnohaya Lita* (autrement dit « longue vie »), ce qui était très gentil de leur part. Mama et Baba ont fait quelques *pirohy* aux pommes de terre, et nous avons mangé avec les Pemlych. Ce qui m'a le plus surprise, c'est qu'aujourd'hui à l'école, Mykola a fait un dessin qu'il m'a offert en cadeau. Il est épinglé au drap qui sépare notre partie du logement de celle des Pemlych. Il a dessiné notre ancienne maison, à Horoshova.

Vendredi 12 février 1915

Aujourd'hui, il fait presque chaud. Tato avait peut-être raison, à propos de la soupe populaire. M. Pemlych et lui disent qu'ils y voient les mêmes gens tous les jours et que personne n'a encore été arrêté. C'étaient sans doute de fausses rumeurs.

Plus tard

Mykola réussit bien à l'école. Il a rapporté à la maison un examen d'arithmétique où il a eu 100 %! Tato l'a accroché au drap, à côté de son dessin. Je suis contente pour mon frère, mais en même temps, je suis jalouse. J'aimerais aller encore à l'école afin que Tato puisse être fier de moi aussi.

Lundi 15 février 1915

C'est horrible : Tato a été arrêté et M. Pemlych aussi.
Ils sont détenus dans le bâtiment de l'Immigration. Baba
dit que Mama et Mme Pemlych sont allées là-bas pour
voir ce qu'elles pourraient faire pour ramener nos
hommes à la maison.

Plus tard

*Dans le logement des Pemlych, pelotonnée
dans mon édredon*

Tout ce que je peux faire pour le moment, c'est
attendre. Voici ce qui s'est passé.

J'ai su que quelque chose n'allait pas dès que je suis
sortie du travail, car Tato n'était pas là à m'attendre. Au
début, j'ai cru qu'il était simplement en retard, alors j'ai
dit à Mary et aux autres filles de ne pas s'attarder et je suis
restée à attendre Tato, à l'intérieur de l'entrée de la
fabrique. J'ai attendu et attendu. Au bout de 20 minutes,
le patron m'a fait les gros yeux, alors je suis sortie attendre
dehors.

J'étais déjà inquiète au sujet de Tato, mais j'ai
commencé à me faire du souci pour moi-même. C'est
dangereux pour moi de marcher toute seule jusqu'à la
maison, alors imagine si je devais le faire le soir! J'ai donc
décidé de partir avant qu'il fasse noir.

Je n'étais pas encore au coin de la rue que j'ai vu Stefan
arriver en courant pour me ramener à la maison. Il est
venu me retrouver dès qu'il a appris ce qui était arrivé à

nos pères. Ça va vraiment mal pour nous, mais je suis contente d'avoir un vrai ami comme Stefan.

Il y a quelqu'un à la porte.

Plus tard

Mama est rentrée des bureaux de l'Immigration. Elle dit que la raison des arrestations était le « vagabondage ». Ça veut dire errer dans les rues quand on n'a pas de travail. Je ne comprends pas : où veulent-ils que les gens aillent quand ils n'ont pas de travail?

Jeudi 18 février 1915

Oy! Cher journal, j'ai demandé à Mama de m'emmener aux bureaux de l'Immigration pour voir Tato, mais elle a répondu : « Pas aujourd'hui. » Mme Pemlych et elle y sont allées ensemble. J'ai écrit un petit mot et fait un dessin pour Tato, et Mama le lui a apporté. Quand elle est rentrée, elle avait les yeux tout rouges. Elle a dit qu'elle était fatiguée et elle est allée s'allonger. Je savais qu'elle n'était pas vraiment fatiguée, cher journal : elle était triste. Je l'entendais pleurer.

Plus tard

Mama dit que Tato risque d'être envoyé quelque part, mais elle ne comprend pas où. *Oy!* Cher journal, je suis si inquiète!

Mercredi 24 février 1915

Stefan a été arrêté. Je dois y aller.

Vendredi 26 février 1915

Pourquoi le Canada nous déteste-t-il autant? Comment ont-ils pu arrêter Stefan? Il n'est même pas encore un homme! Même s'il a grandi très vite, il a toujours son visage d'enfant. On dirait que, dès qu'un Ukrainien se tient au coin d'une rue, il se fait mettre en prison. Je pensais que le Canada était une terre de liberté. J'en suis triste et effrayée.

Mardi 2 mars 1915

Hier, Mama et moi avons rendu visite à Tato. Il y avait tellement de monde que c'était difficile de lui parler. Il avait le regard vide, comme s'il n'arrivait pas à croire ce qui lui arrivait. Il essayait de nous rassurer, malgré tout, et il ne se plaignait pas de son sort. Il a même fait une blague, en disant qu'au moins, on leur donne à manger. Stefan, M. Pemlych et lui sont dans une grande pièce avec beaucoup d'autres hommes. J'ai remarqué que Stefan avait les poings serrés et l'air renfrogné. En sortant, le soldat Howard Smythe m'a heurté l'épaule, comme par inadvertance, mais je sais qu'il l'a fait exprès.

x x x x x x
x x x x x x

Jeudi 4 mars 1915

Depuis que Stefan a été arrêté, il n'y a personne pour me raccompagner à la maison. Mary, Natalka et les autres filles sont dans la même situation, alors maintenant, nous marchons ensemble pour aller au travail et en revenir. Je dois encore marcher toute seule jusqu'au coin de ma rue et je n'aime pas ça. J'apprends de nouveaux mots, mais ce sont des mots que je ne répéterais jamais! Nous allons au marché toutes ensemble aussi.

Vendredi 5 mars 1915

Oy! Cher journal, ça va de plus en plus mal! Dans le journal d'aujourd'hui, on dit que des combats ont eu lieu en Galicie et que les Autrichiens ont perdu 25 batailles de suite! Qui pourrait être encore en vie dans mon cher pays? Tout doit être réduit en cendres, maintenant. Tu devrais voir les regards que les gens me jettent, quand ils me croisent dans la rue. Au Canada, on nous déteste et, dans notre ancienne patrie, nous serions morts. Je suis vraiment triste!

Lundi 8 mars 1915

Tous les jours se ressemblent. Mon cœur est si plein de tristesse qu'il pourrait finir par éclater.

Lundi 15 mars 1915

Selon le journal, les Alliés pensent que la guerre pourrait se terminer dans trois semaines. Je prie pour que ce soit vrai. Je veux que Tato revienne à la maison!

Jeudi 18 mars 1915, après le souper

Oy! Cher journal, on ne parle que des Russes qui remportent des batailles en Galicie, dans le journal d'aujourd'hui. Autre chose : je viens de recevoir une lettre d'Irena. Ça ne va pas mieux pour elle que pour moi. Voici sa lettre, que j'ai collée dans tes pages :

Hairy Hill
Alberta, Canada
Mardi 2 mars 1915

Chère Anya,
J'ai du mal à écrire cette lettre, tant je suis triste. Notre voisin Yurij Feschuk a été arrêté! Voici ce qui s'est passé.
Papa et notre voisin s'étaient rendus en ville pour faire estampiller leurs papiers. Ils ont estampillé ceux de papa, mais ont refusé de le faire pour Yurij Feschuk. Ils lui ont plutôt passé les menottes et l'ont emmené avec eux. Papa a appris qu'on l'avait conduit dans un camp de travail, tout près de Jasper, en Alberta. Anya, c'est totalement injuste! Notre voisin n'a rien fait de mal!
Papa a eu peur qu'on l'arrête aussi, mais rien ne lui est arrivé. Il est allé chez Feschuk et il a tout bien fermé afin de protéger la maison contre les intempéries. Il a ramené sa vache et

son cheval chez nous. Autrement, qui leur
aurait donné à manger? Anya, j'ai beaucoup de
peine pour Yurij Feschuk, mais je suis bien
contente d'avoir du lait. C'est bien, aussi, d'avoir
le cheval.
Mama est bouleversée et elle a peur. Elle craint
que papa soit le prochain à se faire arrêter.

Ta très chère amie,
Irena

Oy! Cher journal, c'est terrible, cette histoire du voisin d'Anya. J'espère que tu ne me trouveras pas méchante si je te dis que je suis contente que ce ne soit pas le père d'Irena qu'on ait emmené.

Samedi 20 mars 1915

Cher journal, chaque fois que je me dis que les choses ne pourraient pas être pires, on dirait que je me trompe. Dix Canadiens sont morts au combat et trois navires alliés ont été coulés. Les Canadiens sont fous de rage et ils s'en prennent à nous. Tato, Stefan et M. Pemlych ont été envoyés, tous les trois, dans le nord du Québec. J'ai entendu dire qu'il faisait très froid là-bas et qu'il y avait des bêtes sauvages qui mangeaient les gens. Qu'est-ce que nous avons fait pour mériter ça? C'est le Canada qui nous a demandé de venir ici, non? Si le gouvernement canadien ne voulait pas de nous, pourquoi nous a-t-il encouragés à venir?

Dimanche 21 mars 1915, Pâques

Aujourd'hui, quand nous sommes revenus de la messe, un envoyé du consulat autrichien attendait devant la porte de notre logement. Il était gentil, mais je pouvais lire dans ses yeux qu'à son avis, notre intérieur ne payait pas de mine. Baba, Mme Pemlych et Mama font tout ce qu'elles peuvent pour le garder propre, mais c'est difficile quand on sait que le logement était déjà crasseux avant que les Pemlych s'y installent. Nous n'avions pas de rats à Horoshova. Nous avons tué tous ceux que nous avons vus ici, mais il en arrive toujours d'autres. Ça me gêne de voir les yeux de cet homme qui nous jugent. Est-ce qu'il ne se rend pas compte que nous aurions un plus beau logis si nous pouvions nous le permettre? Et comment pourrions-nous y arriver, quand ils ont emmené nos hommes et que personne ne veut embaucher Mama?

Jeudi 25 mars 1915

Les manchettes d'aujourd'hui étaient toutes à propos de la grande bataille qui se déroule, en ce moment même, dans les Carpates. On y disait aussi que le Canada va dépenser 100 millions de dollars pour cette guerre.

Une chose qui m'étonne

Si l'Allemagne et l'Autriche sont les ennemis, pourquoi les batailles ne se déroulent-elles pas là-bas? On dirait que toutes les batailles ont lieu en Galicie. Pourquoi? Après la guerre, tout ira bien en Allemagne et en Autriche, tandis que la Galicie va être en ruine. Je n'ai jamais fait de tort à personne de toute ma vie. Je sais que c'est la même chose pour Tato, Mama, Baba, Dido et Volodymir. Tout ce que nous voulons, depuis toujours, c'est avoir assez à manger et vivre en paix. Qu'est-ce qu'il y a de mal là-dedans?

Dimanche 28 mars 1915

Cher journal, il est gentil, ce M. Foster envoyé par le consulat. Il nous a apporté de la nourriture et a dit à notre propriétaire que, si nous nous faisions expulser, il lui enverrait des représentants de la Santé publique. Je ne comprenais pas ce que ça voulait dire, alors il m'a expliqué que c'était illégal de louer des logements sans eau chaude et pleins de rats. La Santé publique, c'est comme la police sanitaire; alors, si nous sommes mis à la porte de notre logement, notre propriétaire va avoir de gros ennuis. C'est rassurant.

M. Foster dit que Tato est bien traité, là où il est. Il dit que les hommes travaillent dans des fermes qui ne sont pas clôturées. C'est une vie saine, et ils mangent bien. Il dit que, dès qu'une maison aura été construite pour nous, nous pourrons aller nous installer là-bas à notre tour.

Cher journal, j'aimerais croire M. Foster, mais je ne suis pas sûre qu'il dise la vérité. Irena semble dire que son voisin qui s'est fait arrêter est maintenant dans une prison. Est-ce que ces deux histoires pourraient être vraies?

Mardi 30 mars 1915

Les Canadiens sont encore plus en colère aujourd'hui, et je ne peux pas leur en vouloir. Dans le journal, on dit que des sous-marins allemands ont torpillé deux navires à vapeur britanniques. Ce n'étaient pas des navires de guerre. Il y avait des femmes et des enfants à bord. On dit que les Allemands riaient en regardant les femmes se noyer.

Ça me met en colère, moi aussi, que les Allemands aient fait une chose pareille, alors pourquoi les Canadiens pensent-ils que tous les étrangers sont méchants?

Dimanche 4 avril 1915, le soir

M. Foster n'est pas venu aujourd'hui. Ce doit être parce que c'est Pâques, au Canada.

Mardi 6 avril 1915

Les manchettes d'aujourd'hui ne sont pas à propos de l'Europe de l'Est. Je prie pour que ce soit parce que le théâtre de la guerre s'est déplacé ailleurs. Ce n'est pas parce que je souhaite que d'autres souffrent à leur tour, mais mon ancienne patrie a besoin d'un peu de repos. Chaque fois qu'il est question d'un pays de l'Europe de l'Est, quel qu'il soit, c'est une mauvaise journée pour nous qui sommes ici.

P.-S. Au cas où tu croirais que j'achète tous ces journaux, cher journal, détrompe-toi. La plupart du temps, un des contremaîtres de la fabrique en laisse traîner un, et je le lis chaque fois que c'est possible.

Dimanche 11 avril 1915

Ça y est. M. Foster dit qu'il y a des maisons neuves toutes prêtes pour nous recevoir et que, dans à peu près une semaine, nous allons prendre le train en direction du nord, pour nous rendre au camp où se trouve Tato. M. Foster dit que ça s'appelle le « camp d'internement de Spirit Lake ». Je lui ai demandé si « internement », ça voulait dire que nous serions en prison, et il a répondu que non. Il m'a expliqué que c'était un endroit où nous serions en sécurité.

Il nous a expliqué que le nom « Spirit Lake » (en français, lac de l'Esprit) vient d'une légende indienne selon laquelle une gigantesque étoile serait apparue au-dessus du lac. Cette étoile représentait le Grand Esprit, c'est-à-dire Dieu, pour les Indiens. J'espère que M. Foster nous dit bien la vérité. Peut-être que Dieu veille sur Tato, en ce moment, et qu'il veillera bientôt sur nous.

Mardi 13 avril 1915

Selon Mary, « internement » ne signifie pas ce que M. Foster nous a dit. Elle dit qu'en réalité, c'est une sorte de prison. Ça m'inquiète. Est-ce que Tato, Stefan et M. Pemlych sont en prison, en ce moment même? Est-ce qu'on va nous envoyer en prison, nous aussi?

Samedi 17 avril 1915

Même si « internement » signifie « emprisonnement », je préfère me trouver avec Tato en prison que sans lui, ici.

Quand M. Foster est venu aujourd'hui, Mama lui a dit que nous ne partirions pas. Elle lui a dit que nous n'avions rien fait de mal et que nous ne méritions pas d'aller en prison. Elle lui a demandé pourquoi ils n'arrêtaient pas les gens qui nous insultaient, pourquoi ils ne faisaient rien contre les patrons qui nous congédiaient juste à cause de notre lieu de naissance.

M. Foster est resté assis là, à secouer la tête. « Vous n'avez pas le choix, a-t-il dit. Demain, les 92 personnes de votre paroisse vont toutes prendre le train pour aller au camp d'internement de Spirit Lake. »

Plus tard

Maureen est venue me voir, ce soir. Elle m'a donné la table et les chaises en bois de sa maison de poupée. Il y avait une grande tristesse dans ses yeux, mais elle n'a pas pleuré. Je voulais lui donner quelque chose en retour. Mama a laissé les bagages de côté et a sorti une ceinture brodée qu'elle avait faite pour son trousseau quand elle avait mon âge.

Maureen en est restée bouche bée. Elle a serré la ceinture contre son cœur, en essayant de retenir ses larmes. Je ne la reverrai peut-être jamais, mais chaque fois que je regarderai ma table et mes chaises miniatures, je penserai à elle. Je l'ai serrée très fort dans mes bras et, même si j'avais envie de pleurer, je ne l'ai pas fait.

Mama a fait comme un petit nid dans notre coffre en bois pour le cadeau de Maureen, de façon qu'il ne se brise pas. Elle a aussi emballé soigneusement les poupées que Tato nous avait fabriquées.

Lundi 19 avril 1915

Cher journal, enfin des bonnes nouvelles : Slava est en sécurité. Elle était dans un orphelinat, mais M. Foster l'a retrouvée.

En ce moment, je suis assise dans le train qui nous emmène dans la nature sauvage du nord du Québec. Mykola est à mes côtés, complètement absorbé par ce qu'il fait : il arrache des bouts du petit pain qu'un des cheminots lui a donné, puis il les met dans sa bouche et prend le temps de les déguster. Il me fait penser à un oiseau.

Slava est assise à côté de lui. Elle mange son petit pain tout en regardant par la fenêtre.

Ce train n'est pas comme celui que nous avons pris de Chernivtsi à Hambourg, où nous étions assis sur nos bagages, à l'intérieur d'un wagon sombre. Dans celui-ci, il y a de grandes fenêtres et des banquettes confortables. Baba et Mama sont assises devant nous, mais elles nous font dos. Mama tourne sans cesse la tête pour s'assurer que nous sommes toujours là. Elle ne devrait pas s'en faire, car même si le train est bondé, les gens qui s'y trouvent ne sont pas des étrangers. D'ailleurs, où pourrions-nous aller?

Bercée par le mouvement du train, je me mets à

imaginer que nous retournons à Horoshova, puis je me rappelle où nous nous rendons et j'ai peur. Le train cahote, mais j'ai enlevé mon manteau et l'ai plié sur mes genoux afin de faire une petite table pour t'y poser, cher journal, et écrire proprement.

Au moins, nous allons de nouveau être avec Tato.

Quand je regarde par la fenêtre, je vois de splendides paysages. Les rochers d'ici sont d'un gris-brun très foncé et, à les voir tout fracturés, je me dis qu'un jour Dieu devait être fâché et qu'il a donné des coups de pied dedans si fort qu'ils se sont brisés. De gros blocs de glace bleu pâle flottent toujours dans les lacs, et l'eau elle-même est bleu foncé. Je n'ai jamais vu d'eau de cette couleur-là. Au sommet de la masse sombre des rochers, il y a de la neige et de grands conifères à la silhouette dentelée. De temps en temps, j'aperçois un chevreuil ou un orignal. Chaque fois, je le dis à Mykola, mais il met tant de temps à poser son petit pain et à lever les yeux qu'il les manque.

L'après-midi, toujours à bord du train

Tu sais, cher journal, je n'ai plus fait de broderie depuis que nous avons quitté le village, et ça me rend triste. Si nous habitions toujours à Horoshova, à l'heure qu'il est, j'aurais déjà fait plus que de simples taies d'oreillers et des édredons pour mon trousseau. Peut-être même que je serais fiancée. Mais quand je travaillais à la fabrique, j'avais si mal aux mains que j'étais absolument incapable de broder quoi que ce soit pour mon trousseau.

Je me demande à quoi va ressembler notre nouvelle

maison. J'espère que M. Foster n'a pas menti et que c'est vrai que nous n'allons pas en prison. J'espère aussi qu'il y aura de la place pour des poules et, peut-être, un petit jardin.

Plus tard l'après-midi, encore à bord du train

Maintenant, quand je regarde par la fenêtre, je ne vois plus autant de rochers. Le terrain est plus plat, et il y a encore beaucoup d'arbres et de lacs. Entre les conifères, il y a des bouleaux. Ça me rappelle les forêts de bouleaux d'Horoshova. Oh! cher journal, je m'ennuie tant de chez nous!

Jeudi 22 avril 1915

Mama a besoin d'aide pour défaire les bagages, puis je dois explorer les environs. J'écrirai plus tard.

Voici ce qui est arrivé ce matin.

Quand le train s'est arrêté, je me suis réveillée en sursaut. J'ai regardé par la fenêtre, et mon cœur s'est serré. Des soldats, avec des chiens de garde et des fusils, nous regardaient d'un air sévère. Derrière eux, j'ai vu des bâtiments entourés de hautes clôtures en barbelés, avec des postes de garde aux quatre coins. J'ai frissonné. M. Foster avait dit qu'il n'y avait pas de clôtures.

Je croyais que nous allions descendre du train à cet endroit-là, mais ce sont les soldats qui sont montés (avec leurs chiens!), et le train s'est remis en branle à très petite vitesse, puis s'est arrêté de nouveau. Non loin de là, il y avait d'autres bâtiments : au moins, ceux-là n'étaient pas entourés de barbelés. Les soldats nous ont ordonné de descendre du train, puis ils nous ont passés en revue. Lorsqu'ils sont arrivés devant Mama, ils lui ont demandé de retirer son alliance et de la leur remettre. Ils ont aussi pris son argent. Elle n'avait que quelques dollars. Pourquoi ont-ils pris son argent? L'alliance de Baba était trop serrée, et elle n'arrivait pas à l'enlever. Ils l'ont *coupée*. Ils devraient comprendre que Baba n'a jamais retiré son alliance de son doigt depuis le jour de son mariage! Baba n'a pas pleuré. Je crois qu'elle en avait envie, mais elle ne voulait pas qu'ils voient à quel point elle était bouleversée.

Ils n'ont pas pris le ruban que j'avais dans les cheveux : je le leur aurais donné volontiers, en échange de l'alliance de Baba. À la façon dont Mykola s'agrippait à ma main, je savais qu'il avait peur des chiens. Nous devions avoir l'air bien effrayés, car un des soldats (qui n'avait pas l'air plus vieux que Stefan) nous a souri gentiment et a même passé sa main dans les cheveux de Mykola.

Tandis que nous suivions les soldats en direction du second groupe de bâtiments, Slava a laissé échapper un sanglot, au moment où nous passions devant un petit cimetière bien entretenu, avec, en arrière-plan, ce qui semblait être une petite église. J'aurais préféré qu'elle ne pleure pas, parce que, ensuite, nous en avons tous fait autant. Je ne voulais pas que les soldats voient à quel point nous étions effrayés.

De plus près, j'ai pu voir que parmi les bâtiments, qui étaient de bois, certains étaient à moitié construits, alors que d'autres étaient complètement terminés. Des hommes tiraient des billots, sciaient des pièces de bois et clouaient les murs des bâtiments en construction. Soudain, le travail s'est arrêté. Chacun des hommes nous dévisageait, cherchant sa famille. J'ai aperçu Tato au moment où lui-même nous a aperçus. Il a laissé tomber son marteau et s'est précipité vers nous. Il a donné à Mama un gros baiser sonore sur les lèvres, puis il l'a serrée très fort dans ses bras. À voir son corps secoué de tremblements, je savais qu'il pleurait, alors j'ai tourné la tête. Les hommes n'aiment pas qu'on les regarde quand ils pleurent.

Parmi les hommes, un autre nous regardait aussi. Je ne l'ai pas reconnu tout de suite, mais c'était Stefan! Son visage a vieilli, et ses épaules et ses bras sont beaucoup plus gros que du temps où il était à Montréal. Abattre des arbres, c'est bien plus dur que de distribuer des journaux!

Stefan a posé sa scie, puis il est venu me rejoindre et m'a serré la main. Pourquoi était-il si guindé? Il avait l'air fâché ou triste, je ne sais pas lequel des deux. Ensuite, il s'est dirigé vers sa mère et l'a serrée très fort dans ses bras.

Les mains de Stefan sont si rugueuses maintenant! Où est son père?

x_xx x_xx x_xx

Plus tard

Je suis bien contente que les soldats n'aient pas fouillé nos bagages, car ils auraient trouvé la cuillère d'argent qui est dans la famille depuis toujours. Je pense que Baba ne s'en remettrait jamais, si on la lui enlevait.

Vendredi 23 avril 1915

Cher journal, je viens de me rendre compte qu'aujourd'hui, il y a un an et trois jours que je suis montée sur le bateau, à destination du Canada. À l'époque, je n'aurais jamais pensé que tant de choses pourraient se passer en un an.

Notre nouvelle maison n'est pas bleue comme notre chère demeure d'Horoshova, et elle n'a pas trois étages de haut, comme celle de Montréal. Celle-ci est longue et faite de bois. Elle vient tout juste d'être construite par Tato et les autres hommes, et je l'adore. Mais je n'aime pas que nous soyons prisonniers. La maison est assez grande pour loger quatre familles. Je t'en reparle plus tard.

J'allais oublier : on appelle ces maisons « dortoirs ».

Samedi 24 avril 1915

Cher journal, il y a beaucoup de confusion ici, alors je ne peux pas t'écrire beaucoup, mais je veux quand même te dire que le camp d'internement de Spirit Lake se compose en fait de deux camps. Celui où nous sommes est réservé aux prisonniers mariés et à leurs familles. En bas, près du lac, se trouve le plus grand des deux camps. Il sert aux gardes (qui sont des soldats) et à leurs familles, ainsi qu'à tous les prisonniers célibataires. Je te raconterai...

Désolée, cher journal. Mykola ne voulait pas aller aux toilettes tout seul parce qu'il a dit qu'il avait vu un fantôme. Était-ce l'esprit de Spirit Lake?

Il commençait à faire noir, alors je suis sortie avec lui. Ces toilettes ressemblent à un petit dortoir, sauf qu'à l'intérieur, au lieu de couchettes, il y a 10 cabines d'un côté et 10 de l'autre. Je préfère ces toilettes aux cabinets extérieurs. Elles sont plus propres. À Montréal, on avait beau frotter nos cabinets, ils puaient toujours autant. Ici, ça sent les aiguilles de pin et le savon. Il y a un autre bâtiment à côté des toilettes, et celui-là sert à la lessive. Il contient une pompe à eau ainsi que de grandes cuves pour faire la lessive et un poêle pour faire chauffer l'eau.

Dimanche 25 avril 1915, au coucher du soleil

Je suis assise sur une souche, dans le camp d'internement de Spirit Lake. Nous avons été si occupés depuis notre arrivée que je n'ai pas eu le temps d'écrire à propos de tout ce que j'ai vu et entendu. Si l'on ne tient pas compte du poste de garde et des barbelés autour du camp des prisonniers célibataires, Spirit Lake est un endroit magnifique. Il y a encore des plaques de neige au sol, et le lac est splendide, surtout lorsque le soleil se couche. L'eau est limpide comme un diamant, et tout autour, il y a des conifères encore chargés de neige.

Je me demande si le Grand Esprit me regarde de là-haut, quand je contemple le lac.

Lundi 26 avril 1915

Au lit, le soir

Il faisait chaud aujourd'hui, mais maintenant, il fait froid. Je suis enroulée dans une couverture, assise sur le bord de mon nouveau lit, mes genoux en guise de table. Le lit est en bois, et le matelas est fait de branches de sapin recouvertes d'un tissu. On pourrait croire que ce n'est pas confortable, mais c'est très bien. Je suis contente d'avoir un lit pour moi toute seule. Ça ressemble aux couchettes sur le bateau, sauf que ça sent le bon bois fraîchement coupé, au lieu de tu-sais-quoi. Je dors dans la couchette du haut, et Mykola, dans celle du bas. Baba a son lit à elle, en face de Mykola. Slava dort dans la couchette qui est au-dessus de celle de Baba. Mama et Tato ont aussi chacun leur lit.

Chaque prisonnier a reçu cinq couvertures, ce qui est bien, car Tato dit qu'il fait très froid ici, la nuit.

Le père de Slava ne vit pas dans cette partie-ci du camp parce qu'elle accueille les prisonniers mariés. Même s'il a une fille, il doit vivre dans le camp principal tout entouré de barbelés, avec les célibataires. Slava s'ennuie de son père. Au moins, elle sait qu'il n'est pas loin.

Nous avons plus d'espace ici que dans notre logement de Montréal. C'est plus joli aussi, car il y a plus d'une fenêtre. Mais à Montréal, nous n'étions pas prisonniers.

Au moins ici, nous n'avons que des soldats à endurer,

et personne ne nous insulte.

Tato dit que le père de Stefan a été placé en « isolement cellulaire ». Je ne sais pas ce que ça veut dire.

Mercredi 28 avril 1915, à l'aube

Cher journal, quand je me suis réveillée, il tombait de grosses gouttes de pluie verglaçante, mais maintenant, c'est de la pluie ordinaire. Je suis trop éveillée pour garder les yeux fermés. Ce lit de branches de sapin me pique un peu, mais je me suis enroulée dans mes couvertures et je m'y sens bien. J'aimerais bien mieux avoir mon ancien édredon.

Baba, Mykola et Slava dorment encore. J'entends Mama et Tato qui parlent à voix basse. Je ne comprends pas ce qu'ils se disent, mais ce n'est pas une dispute.

Nous partageons notre dortoir avec trois autres familles. Stefan habite ici avec sa mère, et Mary aussi, avec ses grandes sœurs et ses parents. Je n'avais jamais prêté attention aux grandes sœurs de Mary avant. Olga a un an de plus qu'elle et elle travaillait à la fabrique. Lesia est encore plus âgée et elle travaillait pour une famille anglophone. Lesia est mariée et elle attend un enfant, mais son mari a été envoyé dans un autre camp d'internement. J'espère qu'on va le faire venir ici et qu'ils seront ensemble pour l'arrivée du bébé.

Lyalya, la sœur de Natalka, est plus jeune que Slava, mais elle est grande pour son âge. Elles vont devenir bonnes amies.

Il n'y a pas de chambres privées, alors Mama a tendu

des draps pour séparer les familles. Nous partageons une partie du dortoir avec la famille de Mary. Au centre du dortoir, il y a deux poêles, deux rangées de tables à manger, une grande baignoire de métal, une pompe à eau et une cuvette. Il y a deux grands seaux sur le poêle, pour faire chauffer l'eau du bain. Stefan habite de l'autre côté du dortoir, et Natalka aussi.

Jeudi 29 avril 1915

Ce que j'aime dans notre nouvelle maison :
- nous sommes avec Tato;
- c'est propre et bien aéré;
- je n'ai vu ni souris ni cafards;
- il n'y a pas de marches pour causer des problèmes au genou de Baba.

Ce que je n'aime pas :
- nous sommes prisonniers;
- les chiens de garde;
- nous sommes loin de tout;
- les soldats, sauf celui qui nous sourit.

Vendredi 30 avril 1915

Question importante

Ce matin, avant de partir, Tato nous en a dit un peu plus au sujet du père de Stefan. M. Pemlych a essayé de s'enfuir et a été rattrapé. L'« isolement cellulaire » est une espèce de punition. Il faut que je questionne Stefan à ce sujet, mais je ne peux pas le faire maintenant, car tous les hommes sont partis abattre des arbres et construire d'autres bâtiments. Ils travaillent comme ça de 7 h 30 à 17 h 30, tous les jours, et ils sont censés recevoir 25 ¢ par jour. C'est beaucoup moins que ce que je gagnais à la fabrique. Tato dit qu'en réalité, les prisonniers ne reçoivent pas l'argent. On le garde pour eux, et chacun peut acheter des choses au magasin du campement avec son argent.

J'essaie encore de comprendre pourquoi nous sommes tous prisonniers. Si les gens nous en veulent parce qu'ils nous considèrent comme des Autrichiens, pourquoi le gouvernement ne leur dit-il pas la vérité? Je ne comprends pas en quoi nous mettre dans un camp d'internement pourrait régler le problème.

Plus tard (tout de suite après le dîner)

Dans le village des prisonniers mariés, j'ai compté plus d'une douzaine de soldats. Je n'aime pas ceux qui ont des chiens, et j'ai peur de leurs baïonnettes. Je suis quand même bien contente d'être dans le camp des prisonniers mariés, car il n'est pas entouré d'une clôture de barbelés comme celui des prisonniers célibataires. Là, il y a quatre postes de garde où des soldats munis de baïonnettes surveillent les gens. Sommes-nous si dangereux que ça?

x x x x x x
x x x x x x

Samedi 1ᵉʳ mai 1915 (il fait froid!)

Je viens de voir quelque chose d'épouvantable. Tu te rappelles Howard Smythe, le méchant avec un chapeau brun tout sale qui est devenu soldat? Il est ici! Il a traversé notre camp aujourd'hui. En me voyant, il a souri d'un air mauvais.

La plupart des soldats accompagnent les hommes à leur travail en dehors du camp, mais quelques-uns restent avec nous. Aujourd'hui, le jeune soldat au beau sourire faisait partie de ceux qui étaient restés, et j'ai appris qu'il s'appelait Palmer. Son prénom est Robert. Il a apporté des vêtements aux nouveaux prisonniers. Les femmes et les filles ont reçu des chaussettes, et les garçons ont eu des chaussons en laine. Il a aussi apporté des casquettes et des camisoles pour tous les petits enfants, et quelques rouleaux de tissu. En nous distribuant tout ça, le soldat Palmer inscrivait chaque article sur un registre. Il a aussi remis à chaque famille un balai et un torchon. Mama était bien contente, car elle aime que les choses soient propres.

J'allais oublier…

Le soldat Palmer a un appareil photo. Il a rassemblé tous les enfants du camp et nous a photographiés. Je l'ai vu prendre des photos des bâtiments et d'autres choses, aussi. Je me demande s'il va nous montrer toutes ces photos, un jour.

Dimanche 2 mai 1915

Après le souper, dans mon dortoir

Le petit bâtiment à l'arrière du cimetière est bien une église. Il y a un prêtre ukrainien dans notre camp, mais il n'est pas ici en ce moment. Je crois qu'il fait la tournée des différents camps pour y dire la messe. Un prêtre français du village d'Amos (qui est à quelques milles d'ici) est venu au camp ce matin et il a dit la messe pour nous. Tato ne voulait pas y assister. Peu d'hommes l'ont fait. Je crois qu'ils sont fatigués; le dimanche est la seule journée où ils ne travaillent pas. Ils ont plutôt joué aux cartes. Mama n'a rien dit à Tato à propos de ça. Je croyais qu'elle serait fâchée, mais elle est si soulagée qu'il aille bien et que nous soyons ici tous ensemble qu'elle ne voit pas l'utilité de se disputer avec lui à propos de questions sur lesquelles ils ne s'entendront jamais, de toute façon.

Je suis allée à la messe avec Baba, Mama, Mykola et Slava, et après la messe, nous avons posé des cailloux sur les tombes du cimetière. J'ai dit une prière pour mon cher grand-père et mon cher frère qui sont au Ciel.

Lundi 3 mai 1915

Stefan et moi avons enfin eu l'occasion de nous parler hier soir, après le souper. Nous avons fait une longue promenade dans les bois et, du coin de l'œil, je crois que j'ai vu une forme blanche passer près de nous. C'était peut-être le fantôme que Mykola avait aperçu. J'ai demandé à Stefan s'il l'avait vu, mais il a dit que non.

Peut-être est-ce mon imagination?

Il y a des bouleaux parmi les conifères, et maintenant que la neige commence à fondre, le sol est couvert de centaines de feuilles de bouleaux toutes rondes et dorées, qui sont tombées à l'automne. Je n'y avais jamais songé avant, mais les feuilles de bouleaux me font penser à des pièces d'or. C'est peut-être ce qu'Halyna voulait dire, quand elle m'a dit que le sol du Canada était pavé d'or.

Stefan m'a parlé de son père. On le faisait travailler très dur, mais il n'est pas aussi solide qu'autrefois. Un jour que les prisonniers se trouvaient dans la forêt, à abattre des arbres avec seulement quelques gardes pour les surveiller, deux d'entre eux ont posé leurs outils par terre et se sont enfuis. M. Pemlych voulait partir, lui aussi, et il voulait que Stefan l'accompagne, mais Stefan a refusé. Alors M. Pemlych a couru pour rejoindre les deux autres hommes. Un des gardes l'a poursuivi et l'a vite rattrapé. Les deux autres prisonniers n'ont pas été retrouvés.

Ils ont placé M. Pemlych dans une petite pièce sombre, tout seul, et il ne reçoit rien d'autre à manger que de l'eau et un peu de pain. C'est ça, « l'isolement cellulaire ».

Il y a une chose que je ne comprends pas : où pensait-il aller? Autour d'ici, il n'y a rien d'autre que des centaines de milles d'étendues sauvages. Stefan dit que des gens ont réussi à s'échapper et n'ont pas été rattrapés.

Je crois que Stefan s'en veut à lui-même plus qu'à quiconque. Il pense que, s'il était parti avec son père, ils auraient eu de meilleures chances à eux deux. Je suis contente que Stefan n'ait pas essayé de s'échapper.

Plus tard

Stefan m'a dit autre chose. Je me demandais comment on avait pu l'arrêter en tant qu'homme à Montréal, alors qu'il n'avait que 14 ans. Il m'a expliqué qu'il avait refusé de montrer ses papiers au policier. Il voulait se faire arrêter parce qu'il voulait être avec son père. Stefan peut être vraiment casse-pieds, mais de temps à autre, sa bonté remonte à la surface.

Mercredi 5 mai 1915

Cher journal, je suis au Canada depuis un an déjà.

Je ne sais pas si nous avons bien fait de venir au Canada ou si nous n'aurions pas plutôt dû rester à Horoshova. ~~Si nous étions restés là-bas, je serais avec les gens que je connais depuis que je suis toute petite, j'habiterais dans ma jolie maison bleue et je serais diplômée de mon ancienne école. Peut-être serais-je même déjà fiancée? Mais notre dette était tellement élevée que nous n'aurions jamais eu la vie facile. Et puis, il y a la guerre maintenant. Tato aurait été forcé de s'enrôler dans l'armée autrichienne. Je suis inquiète pour mes amis de mon ancienne patrie et je prie pour eux, tous les jours.~~

Oy! Cher journal, je viens de relire le dernier paragraphe que j'ai écrit, mais je me trompe du tout au tout. Si nous étions restés à Horoshova, je serais peut-être morte, à l'heure qu'il est. L'endroit que j'ai quitté n'existe plus que dans mes rêves. La guerre en Europe se déroule à la porte de mon ancien jardin. L'Horoshova que j'ai connu doit rester dans mes rêves, et je vais prier pour que ceux que nous avons laissés derrière nous aient réussi à trouver le moyen de survivre à tout ça.

C'est triste d'être prisonniers dans le camp d'internement de Spirit Lake, mais je suis bien contente d'être en vie. Je sais que ça peut sembler bizarre, mais je suis soulagée d'être ici plutôt qu'à Montréal. Ici, je peux sortir et respirer l'air frais. À Montréal, j'étais censée être libre, mais je ne me sentais pas en sécurité.

Mieux vaut penser à tout ce qu'il y a de bien au Canada. Il n'y a pas de seigneurs et, dans un avenir pas si lointain, peut-être aurons-nous notre propre terre et pourrons-nous vivre comme des Canadiens. Si nous n'étions pas venus au Canada, je n'aurais pas connu Maureen, ni Irena, ni Slava, ni Mary, ni Natalka.

Je n'aurais jamais rencontré Stefan.

Parfois, je vois Stefan comme mon meilleur ami. Je ne le lui dirai jamais, car il me taquinerait.

Ça peut sembler bizarre, mais si nous n'étions pas venus au Canada, je n'aurais jamais vu Spirit Lake. Dommage que ce soit une prison et, aussi, que ce soit peut-être hanté, car c'est un des plus beaux endroits du monde.

S'il n'y avait pas la guerre, je crois que nous pourrions bien vivre au Canada.

x·x x·x x·x
x·x x·x x·x

Jeudi 6 mai 1915

Les soldats nous ont donné de vieux journaux en guise de papier de toilette et aussi pour en garnir nos bottes si nous avons froid aux pieds ou si elles sont trop grandes. Un de ces journaux était daté du 30 avril, et Stefan et moi l'avons lu ensemble. Il y a quelques jours, les Allemands ont attaqué les Alliés avec un gaz, et les Britanniques étaient si outrés qu'ils ont riposté de manière encore plus dure. J'ai remarqué que, quand il y a de mauvaises nouvelles mettant en cause les Allemands ou les Autrichiens, les soldats du camp sont plus durs envers nous.

Stefan dit que son frère aîné s'est enrôlé dans l'armée et se bat pour le Canada. Le frère de Stefan, qui s'appelait Ivan, a changé de nom et a pris celui de John Pember afin que personne ne sache qu'il est ukrainien. Stefan dit que beaucoup d'Ukrainiens ont fait ça.

Son autre frère, Petro, a tenté de s'enrôler, mais il n'avait pas pensé à changer de nom et il a été envoyé au camp d'internement de Kapuskasing.

J'espère que John Pember ne sera pas envoyé à Horoshova pour y combattre.

Vendredi 7 mai 1915

Même si nous sommes en mai, il y avait une pellicule de glace sur l'eau de la cuvette ce matin, quand je me suis levée.

Avec le tissu que le gentil Robert Palmer nous a donné, Mama m'a confectionné une grande jupe bien chaude avec une grosse chemise et un châle, mais elle veut que je prenne le temps de me faire de plus jolis vêtements. Je suis très bonne en couture et je vais bien m'amuser à faire ça.

Mes jolies bottes noires ne me vont plus. Même si elles m'allaient encore, je ne voudrais pas les porter ici, car le terrain est trop raboteux. Je les ai rangées et je les donnerai à Slava quand nous sortirons d'ici. Les soldats ont remis une paire de bottes à chacun de nous. Les miennes sont trop grandes, alors je dois les bourrer de papier journal. Quand je suis dans le dortoir, je porte mes chaussures faites à la main, que nous avions apportées de notre pays. Je ne les serre pas autant qu'avant, et ça va. Le plancher est toujours froid, même si on porte des chaussettes et des chaussures bien chaudes.

Autre chose…

Je crois que je suis devenue une vrai Canadienne, car maintenant, j'aime ma culotte. Elle me tient le derrière bien au chaud!

Samedi 8 mai 1915

Le méchant soldat Smythe nous a apporté les journaux du 3 mai et il avait l'air encore plus mauvais que d'habitude. On raconte que 5 000 soldats canadiens sont morts à la guerre. Le soldat Smythe a l'air de croire que c'est notre faute. On dit que 40 000 soldats allemands ont aussi été tués au cours d'un seul combat. Pourquoi faut-il que des gens se tuent comme ça? Pourquoi n'essaient-ils pas de régler leurs conflits en en discutant, tout simplement?

Dimanche 9 mai 1915

Dans ma couchette, le soir

Le soldat Smythe était parmi les soldats qui nous ont accompagnés à l'église aujourd'hui et il s'est montré aussi méchant que d'habitude. Ce qui m'a surprise, c'est que d'autres soldats, qui avaient été gentils avec nous jusque-là, étaient devenus aussi méchants que lui. On dirait que quelque chose a changé. Je me demande ce que c'est.

Comme il fait froid, nous sommes restés à l'intérieur, après être revenus de l'église. J'ai sorti ma petite table et mes petites chaises, et aussi les poupées que Tato a sculptées pour Mykola et moi. La grande sœur de Mary avait fait des poupées de chiffons pour les petits, alors nous avons mis tout ça sur une table et nous avons joué ensemble. Quand Tato a vu ce que nous faisions, il a souri et il est sorti, malgré la pluie. L'instant d'après, il est revenu avec quelque chose de caché sous un linge. C'était une magnifique maison de poupée! Elle est plus simple que celle que le père de Maureen avait fabriquée, mais Tato a dit qu'il ne l'avait pas tout à fait terminée. Elle a trois étages, avec quatre pièces à chaque étage. Le toit est plat, comme celui de notre maison à Montréal. J'ai déposé ma poupée sur le toit pour qu'elle puisse voir tout ce qui se passe aux alentours!

× × × × × ×
× × × × × ×

Lundi 10 mai 1915

Maintenant, je sais pourquoi les soldats semblaient furieux contre nous. Le soldat Palmer dit qu'un télégramme est arrivé dimanche matin, porteur d'une terrible nouvelle. Un navire à passagers, le *Lusitania*, a été torpillé par les Allemands. Il y avait 2 000 personnes à bord et, à l'heure qu'il est, on ne sait pas encore s'il y a des survivants. Le soldat Palmer a dit que les soldats du camp étaient de très mauvaise humeur. Ils rendent tous « les gens comme nous » responsables de ce naufrage. Je lui ai expliqué que nous n'étions pas des Allemands et que nous n'étions pas vraiment des Autrichiens. Il a répondu qu'il le savait, mais que ça ne changeait rien aux yeux de la plupart des soldats. C'est comme s'ils avaient absolument besoin de s'en prendre à quelqu'un. Ne voient-ils pas que nous sommes de simples gens, tout comme eux?

Mardi 11 mai 1915

Cher journal, les équipes de travail ont été réorganisées. Pour le moment, nos hommes n'iront plus couper du bois dans la forêt. Toutes les équipes vont plutôt construire de nouveaux dortoirs.

Plus tard

D'autres gens vont arriver à Spirit Lake. C'est pour cette raison qu'on construit d'autres dortoirs. *Oy!*

Le soldat Palmer dit qu'un autre télégramme est arrivé.

Le naufrage du *Lusitania* a déclenché un mouvement
« d'hystérie » dans les villes (« hystérie », ça veut dire que
des tas de gens se mettent en colère, en même temps).
Afin de calmer la population, le gouvernement arrête
encore plus d'Ukrainiens.

Oh! cher journal, je ne comprends plus rien. Pourquoi
le gouvernement agit-il ainsi? Il le sait, lui, que nous ne
sommes ni allemands, ni autrichiens. Nous sommes
ukrainiens. Même si nous étions allemands ou autrichiens,
comment aurions-nous pu faire couler le *Lusitania*,
puisque nous sommes ici? D'ailleurs, pourquoi aurions-
nous voulu le faire? On dirait que le gouvernement n'a pas
les idées claires.

Vendredi 14 mai 1915

Cher journal, tôt ce matin, le train s'est arrêté au camp
principal, et des centaines de nouveaux prisonniers en sont
descendus. Depuis le naufrage du *Lusitania*, il y a une
levée de boucliers contre les étrangers. J'imagine que nous
sommes internés pour notre propre sécurité, mais ça me
désole. Je me demande si des femmes et des enfants vont
s'ajouter à notre groupe.

Plus tard

Il y avait quatre nouvelles familles à bord du train. Les
nouveaux arrivants ont l'air inquiets, effrayés, fatigués et
maigres! Est-ce que nous avions l'air de ça quand nous
sommes arrivés?

Samedi 15 mai 1915

Tu ne me croiras pas, mais il neige aujourd'hui!

Mercredi 19 mai 1915

Nous sommes à la mi-mai, et il fait encore très froid. L'eau de ma cuvette était encore gelée, ce matin. Et même s'il est presque midi, mon haleine forme de la buée.

Hier soir, le père de Stefan a été libéré de son « isolement cellulaire ». Aujourd'hui, Mme Pemlych s'est portée volontaire pour préparer le souper, même si son tour aurait dû tomber demain. La nourriture qu'on nous donne ici est très ordinaire, et on nous en donne très peu, mais Mme Pemlych veut que son mari reprenne vite du poids, car il est très maigre et ça le vieillit.

Mme Pemlych a proposé à l'un des gardes célibataires du camp de faire sa lessive, en échange d'un morceau de bœuf. En ce moment, elle est à la cuisine, en train de faire un bon ragoût bien nourrissant pour le souper de ce soir. Nous en aurons tous un peu, mais M. Pemlych en aura beaucoup. Il est parti avec les autres pour fendre du bois. Je ne comprends pas comment il peut avoir la force de faire ça, mais pour lui, ce n'est rien de nouveau. Stefan m'a dit que, pendant son isolement, son père avait dû travailler très fort tous les jours, même s'il n'était nourri que de pain et d'eau… et le soir seulement.

Lundi 24 mai 1915, jour de Victoria

Cher journal, on nous a fait marcher jusqu'au terrain d'exercice, au centre du camp principal, où nous avons écouté le commandant faire un discours au sujet de notre devoir envers le Canada. Il a dit que, quand la guerre serait finie, nous pourrions retourner chez nous et vivre normalement comme de bons citoyens britanniques. Il a ajouté que, si certains d'entre nous voulaient rester ici après la guerre, ce serait possible. Je ne comprends pas très bien. Pourquoi voudrions-nous rester prisonniers?

Plus tard

Mary m'a tout expliqué. Ils pensent que cela pourrait nous intéresser de nous établir ici comme fermiers.

Mercredi 26 mai 1915

Nous sommes presque en juin, et il fait beaucoup trop froid. L'air glacial pénètre par les fentes du plancher et des murs. Je suis toute pelotonnée dans mon lit, avec mes cinq couvertures. Les autres dorment encore, alors j'ai pensé profiter de ce moment pour raconter par écrit ce qu'est ma routine quotidienne au camp d'internement.

Nous déjeunons avec les hommes, puis ceux-ci partent avec les gardes du camp pour aller abattre des arbres et défricher le terrain. Un des gardes a acheté une terre ici, et Tato dit que, parfois, c'est sa terre qu'ils défrichent, ce qui rend Tato furieux.

Pendant l'absence des hommes, une partie des femmes

prépare le prochain repas pendant que les autres font la lessive. Les hommes se salissent tellement que, tous les jours, c'est jour de lessive.

Il n'y a ni école ni instituteur, alors tous les matins, Mary enseigne l'anglais aux plus petits. Comme elle parle un peu le français, elle leur enseigne ce qu'elle sait. Je ne fais pas la classe, mais j'aide Mary avec les enfants. L'après-midi, ils jouent surtout à cache-cache et à la balle, et nous les surveillons. L'air d'ici est bien meilleur qu'à Montréal. Mykola rayonne de santé.

En fin d'après-midi, je m'assois avec Mama, et nous faisons de la couture. J'ai confectionné des vêtements pour Slava et d'autres pour Stefan. J'ai aussi cousu une nouvelle chemise pour le père de Slava. Je me suis confectionné un corsage et une jupe avec la pièce de tissu que Robert Palmer nous avait apportée. Mama est si satisfaite de ma couture que je vais pouvoir faire quelque chose de spécial pour mon trousseau. Elle m'a donné une pièce de tissu qu'elle avait blanchie à la perfection, et je vais me faire un *rushnyk*. Je ne sais pas comment ça s'appelle en français. C'est une longue bande de tissu brodé qu'on utilise seulement dans les occasions spéciales. Je m'exerce à broder le soir. Je ne travaillerai pas à cette splendide pièce de tissu blanchi tant que je n'aurai pas maîtrisé le point passé. J'ai fait huit mouchoirs en utilisant le point de feston.

La famille du soldat Palmer est ici, avec lui. Sa femme est aussi gentille que lui et, parfois, elle m'apporte du linge à raccommoder, et elle me paie. Les Palmer ont un fils de l'âge de Mykola, je crois. Il est tout potelé. Quand Mme Palmer apporte le linge à raccommoder, il l'accompagne parfois, mais il n'a pas la permission de jouer avec nous.

Jeudi 27 mai 1915

Ce matin, une femme d'Amos est venue ici. Elle portait un panier d'œufs et elle était accompagnée de deux enfants. Comme Mary est assez bonne en français, elle a pu parler avec cette dame et a découvert qu'elle voulait nous vendre des œufs. Nous l'avons entourée et nous lui avons montré toutes sortes de choses qu'elle pourrait échanger contre ses œufs. Mama a apporté deux mouchoirs que je venais de broder, et les yeux de la dame se sont mis à briller de convoitise. Pour deux pauvres mouchoirs brodés, nous avons obtenu 20 œufs. Mama va faire du *babka* pour mieux nourrir nos hommes, et je vais l'aider. J'ai hâte de voir la tête que Tato va faire quand il va rentrer ce soir!

Oy! Mon trousseau n'avance pas très vite, mais au moins nous aurons l'estomac un peu plus plein!

Plus tard

J'ai eu une bonne idée. Baba trouve aussi qu'elle est excellente. Nous allons évider les œufs. Comme ça, nous pourrons faire du *babka* avec l'intérieur, et nous aurons des coquilles d'œufs pour faire des *pysanky*. Bien sûr, ce ne seront pas de vrais *pysanky*, car il ne viendrait jamais à l'idée de qui que ce soit de faire un vrai *pysanka* avec un œuf évidé. Et, de toute façon, ce n'est même pas Pâques. Mais nous allons décorer ces œufs évidés et nous allons les échanger contre de la nourriture!

Plus tard

Tu te demandes sans doute pourquoi on ne peut pas faire des *pysanky* avec des œufs évidés, n'est-ce pas, cher journal? Parce qu'on est censé fabriquer les *pysanky* avec des œufs crus. Si on fait bouillir les œufs, la teinture ne prend pas, et si on les évide, ils ne restent pas au fond des pots de teinture. De plus, offrir un *pysanka* en cadeau, c'est comme offrir ses bons vœux à quelqu'un, et chaque élément du *pysanka* a une signification particulière. Donner un œuf cru, c'est-à-dire encore vivant, porte bonheur, et les dessins qu'on fait dessus sont des symboles de bonne santé et de longue vie.

Baba dit que nous pouvons très bien faire ces *pysanky*-là avec des œufs évidés, car nous ne les offrons pas à des amis, en guise de bons vœux. Au lieu de ça, nous allons les vendre à des étrangers, en échange de choses dont nous avons besoin.

Vendredi 28 mai 1915

Les femmes ont la permission d'aller dans la forêt pour cueillir des champignons. Les soldats se doutent bien que nous ne voudrions pas abandonner nos hommes. Quand il fera plus chaud, peut-être que je trouverai encore de la grande camomille pour soigner le genou de Baba, mais aujourd'hui, Mama et moi sommes allées dans la forêt pour essayer de trouver de l'écorce de noyer noir. Au cas où tu ne le saurais pas, cher journal, on fabrique la teinture noire des *pysanky* et du fil à broder en faisant bouillir de l'écorce de noyer noir.

Nous avons traversé la clairière, puis nous avons suivi un petit sentier qui serpentait entre les arbres. Nous avons senti une odeur de fumée et nous nous sommes dit que nous étions probablement près d'une équipe de nos hommes en train d'abattre des arbres. Puis la forêt s'est éclaircie, et nous sommes arrivées dans une autre clairière.

Ce n'étaient pas nos hommes! Nous avons vu des tentes faites de grosse toile. Une femme avec un chapeau et une longue robe blanche est sortie de l'une d'elles. Elle nous a regardées, et mon cœur s'est presque arrêté de battre. C'était mon fantôme!

J'ai tiré Mama par la main, et nous nous sommes enfuies à toutes jambes, trébuchant et cognant nos genoux et nos orteils contre les rochers, et les éraflant dans la broussaille. Nous avons couru jusqu'au camp. J'étais tout essoufflée, et Mama aussi. Je n'ai jamais eu aussi peur de ma vie!

Stefan n'est pas gentil. Je lui ai raconté combien nous avions eu peur, et il a ri de moi.

Plus tard

x.x x.x x.x
x x x x x x

Samedi 29 mai 1915

(frais et ensoleillé)

Te souviens-tu de Lyalya, la petite sœur de Natalka? C'est la petite fille qui a à peu près le même âge que Slava. Ce matin, lorsqu'elle s'est réveillée, elle toussait et elle était trempée de sueur. Mama a préparé une tisane avec ses herbes et l'a donnée à Mme Tkachuk pour qu'elle la fasse boire à Lyalya. Mme Tkachuk a passé toute la journée au chevet de Lyalya. J'espère que la petite va se sentir mieux.

À propos de Slava, elle ne voit pas souvent son père. Tato dit qu'il est devenu bizarre et que c'est préférable que Slava ne le voie pas. Je trouve que c'est triste. Tato dit que nous devons la considérer comme un membre de notre famille, maintenant. Est-ce que ça veut dire qu'elle va habiter avec nous quand nous retournerons à Montréal?

Dimanche 30 mai 1915

Je n'en veux plus à Stefan.

Il a glissé sous son manteau un peu du *babka* que nous avions préparé et m'a invitée à le suivre. Quand je me suis rendu compte que nous retournions à l'endroit où Mama et moi avions vu les tentes, j'ai failli rebrousser chemin, mais Stefan m'a prise par la main et m'a dit de lui faire confiance.

Cette femme n'est pas du tout un fantôme : c'est une dame. Elle porte un chapeau d'homme orné d'un genre de ruban, et ses cheveux sont tressés comme les miens.

Cette fois, elle était en train de remuer quelque chose dans un grand chaudron posé sur un feu de camp. Sa peau est d'une jolie teinte bronzée, et elle a de belles dents bien blanches. Elle nous a fait signe d'approcher. Stefan lui a donné le *babka*. Elle a souri, l'air ravie, et elle est allée le porter dans la tente. Quelques secondes plus tard, elle a rabattu un pan de la toile de la tente et nous a fait signe d'entrer.

Stefan s'est mis à genoux et l'a saluée en inclinant la tête. J'ai fait comme lui. La tête toujours inclinée, je me suis mise à inspecter les lieux du coin de l'œil. J'ai aperçu une vieille femme assise par terre, entourée de magnifiques peaux d'animaux. Et tu ne devineras jamais ce que j'ai vu d'autre, cher journal! Certaines des peaux étaient décorées de broderies de perles, comme j'en fais parfois moi-même! Sur les genoux de la vieille femme, il y avait aussi une pièce de cuir fin, sur laquelle une superbe broderie de perles avait été commencée.

Cher journal, tu ne le croiras jamais, mais elle utilisait de petites perles, exactement comme les miennes. Qui aurait cru que je ferais la moitié du tour de la Terre et que, dans cette contrée reculée du Québec, je retrouverais une parfaite étrangère en train d'utiliser la même technique artisanale que moi? Le motif de fleurs qu'elle était en train de broder me rappelait les broderies que nous faisions sur les vestes en peau de mouton. J'ai l'impression d'avoir retrouvé une parente que j'aurais perdue de vue depuis longtemps!

Je me suis assise et je l'ai regardée broder la pièce de

cuir. Je n'ai aucune idée du temps qui a passé avant qu'elle termine un pétale complet. Stefan m'a prise doucement par le bras et m'a dit : « Nous devrions rentrer maintenant. »

La vieille femme a levé la main comme pour nous dire : « Attendez un instant ». Puis elle a plongé la main dans les replis de sa jupe et en a ressorti une pochette en cuir. J'ai tendu la main, et elle y a renversé le sachet. De petites perles de toutes les couleurs sont tombées dans ma main. Juste avant qu'elle referme la pochette, une perle de Venise rouge en est tombée aussi. Elle est ornée d'un ravissant motif d'oiseau en vol. C'est la plus belle que j'aie jamais vue. La femme gloussait de plaisir. Ensuite, elle a pris mes doigts et les a refermés sur les perles.

Lundi 31 mai 1915

Je suis assise dehors, à l'aube, sur ma souche préférée, et je pense toujours à hier.

Stefan m'a dit que ce sont des femmes du peuple des Pikogan, une tribu algonquine. Avant la construction du camp d'internement, les Pikogan chassaient et pêchaient dans les environs de Spirit Lake, mais maintenant, les prisonniers et les soldats effraient le gibier. De plus, avec tous ces arbres qu'on abat, les bêtes ont moins d'endroits où s'abriter. La vie n'est donc pas facile pour les Pikogan.

Si c'est le territoire des Pikogan, pourquoi le Canada y a-t-il construit le camp d'internement?

Mardi 1er juin 1915, au dîner

Ce matin, à cause de la chaleur, Mary et moi avons eu de la difficulté à garder l'attention des enfants.

Je n'arrête pas de penser à notre visite chez les deux femmes pikogan. Elles ne nous connaissent même pas et pourtant, elles sont gentilles avec nous. Notre camp a détruit leur territoire de chasse et, malgré cela, elles sont gentilles avec nous. Je crois qu'elles savent que nous ne sommes pas venus ici de bon gré. Elles ont vu les soldats.

Est-ce que la vieille peut lire dans mes pensées? On aurait dit qu'elle savait que j'avais perdu la précieuse perle d'Irena. Peut-être qu'il y a vraiment un esprit à Spirit Lake!

Mercredi 2 juin 1915
(très chaud!!!)

Il y a un an, je pensais que Stefan était méchant, mais plus maintenant. Est-ce que c'est moi qui ai changé ou est-ce que c'est lui?

Jeudi 3 juin 1915
(troisième jour de chaleur de suite!!!)

Aujourd'hui, j'ai reçu une lettre de Maureen! Tu te souviens de Maureen, mon amie irlandaise de l'école, n'est-ce pas, cher journal? Je ne peux pas vraiment lire la lettre parce qu'une grande partie a été censurée. Au moins, je sais que Maureen va bien et qu'elle pense à moi.

Vendredi 4 juin 1915

Tard le soir, dans ma couchette

Cher journal, Lyalya semblait s'être remise, mais ce matin, sa toux est revenue. Mme Tkachuk l'a gardée au lit, et Mama a fait un cataplasme de moutarde à mettre sur sa poitrine.

J'ai failli oublier : le soldat Palmer nous a montré certaines des photos qu'il avait prises! Il y en avait des femmes pikogan et aussi de nos hommes quand ils travaillent à l'extérieur du camp. Il avait aussi des photos des officiers et de leurs familles, qui habitent dans le camp principal. Je ne m'étais pas rendu compte qu'il y avait autant de soldats avec leurs enfants, ici. C'est dommage que nous n'ayons pas le droit de jouer avec eux.

Samedi 5 juin 1915

Je n'aurais pas dû me plaindre autant du froid parce qu'il fait très chaud depuis une semaine. Et avec la chaleur arrivent les petites mouches noires qui nous piquent sans merci. Le soldat Palmer dit que nous allons devoir les endurer jusqu'en septembre.

Il y a aussi des nuées de moustiques. Quand les hommes reviennent de la forêt, ils sont couverts de piqûres. Baba a trouvé un truc qui semble soulager assez bien les démangeaisons. Tu te rappelles ce pain sans aucun goût qu'on nous distribue ici? Maintenant, nous faisons du bon pain nous-mêmes, alors Baba fait tremper le vieux pain sans goût dans de l'eau et l'applique ensuite sur les piqûres. J'ai les genoux couverts de piqûres, et ça semble calmer la démangeaison. Tato a une piqûre sur la tête, à l'endroit où il commence à perdre ses cheveux, et il a l'air parfaitement idiot avec ce gros tas de pain mouillé sur le sommet du crâne. Mais au moins, ça le soulage.

Dimanche 6 juin 1915, après le souper

Cher journal, nous avons fait des *pysanky* évidés toute la journée. C'était très amusant! J'espère que les gens d'Amos vont les aimer.

Plus tard

Oh! cher journal! Lyalya a eu une grosse quinte de toux et elle a même craché du sang. Le soldat Palmer a envoyé quelqu'un chercher le docteur, et maintenant, Lyalya est à l'hôpital du camp. Est-ce qu'elle va s'en sortir?

Lundi 7 juin 1915, le midi
(chaud et sec depuis plusieurs jours)

Un monsieur d'Amos est venu avec la dame qui nous avait vendu des œufs. Il avait un gros pot d'un truc qui sentait le citron et la menthe. On met ça sur la peau pour éviter d'être piqué par les mouches noires. J'ai demandé combien ça coûtait, et la dame a dit qu'elle prendrait deux œufs décorés en échange! Ce baume va être parfait pour Tato, Stefan et les autres hommes de notre dortoir quand ils vont dans la forêt, et pour nous aussi.

Après le souper

Le baume est efficace!

Tard le soir

Un des nôtres a été tué d'une balle.
J'écrirai quand j'en saurai un peu plus.

Mardi 8 juin 1915, le midi

L'homme qui s'est fait tuer s'appelait Ivan Gregoraszczuk. En ce moment, on prépare son corps pour l'enterrement. Voici ce qui s'est passé.

Il y a à peu près une semaine, M. Gregoraszczuk s'est enfui avec trois autres prisonniers. Ils ont réussi à se rendre à 60 milles du camp, tout près de la frontière de l'Ontario. Il marchait le long de la voie ferrée lorsqu'un fermier d'Amos l'a abattu, puis a rapporté son corps ici.

M. Gregoraszczuk n'a ni femme ni enfant, mais les hommes du camp principal l'ont identifié. Le fermier a dit que M. Gregoraszczuk avait un fusil, mais ce n'est pas vrai. Des hommes d'Amos ont rattrapé les trois autres fugitifs. À présent, ils sont tous en isolement cellulaire, mais l'un d'eux a vu le fermier tirer sur M. Gregoraszczuk et il dit qu'il l'a fait « de sang-froid », ce qui signifie qu'il l'a tué exprès. Demain, il y aura des funérailles, et une croix de plus dans le cimetière. Il s'est mis à tomber des torrents de pluie. Je crois que c'est Dieu qui pleure la mort tragique de M. Gregoraszczuk.

Mercredi 9 juin 1915, au crépuscule

Cher journal, au fond, je sais que M. Gregoraszczuk n'aurait jamais dû tenter de s'enfuir, mais le gouvernement n'aurait jamais dû le mettre en prison non plus. Que dirait ce fermier, si le Canada le jetait en prison, tout simplement parce qu'il est français? J'aimerais bien voir ces soldats et ces fermiers passer une seule journée à notre place.

Et ce qui me fait encore plus de peine, c'est que M. Gregoraszczuk n'a personne ici pour prier sur sa tombe. A-t-il encore une mère et un père, dans son pays natal? Il a peut-être un frère ou une sœur, ailleurs au Canada ou en Ukraine. Apprendront-ils un jour ce qui lui est arrivé? J'ai le cœur brisé. J'ai ramassé quelques cailloux et je les ai disposés sur sa tombe, une fois tout le monde parti.

Je suis très inquiète pour Lyalya. Nous n'avons pas le droit de la visiter à l'hôpital, au cas où nous attraperions ce qu'elle a. Le soldat Palmer dit qu'elle ne va pas bien.

Jeudi 10 juin 1915

Dans ma couchette, le soir

Mama dit qu'elle pense avoir trouvé comment fabriquer le baume à mouches noires. Elle a essayé différents mélanges de plantes locales jusqu'à ce que ça sente comme le baume d'Amos. Ensuite, elle a mélangé les herbes avec de l'oléomargarine. Tato va l'essayer demain. Si la crème le soulage, nous allons pouvoir en faire profiter d'autres prisonniers.

Vendredi 11 juin 1915
Tôt le matin (il pleut)

Oy! J'ai des ennuis et je ne sais pas pourquoi. Je dois me présenter au bureau du commandant!

L'après-midi

Le méchant soldat Smythe a raconté au commandant que j'avais volé de la nourriture à la cuisine des officiers. Ce n'est pas vrai!

Plus tard

Le soldat Smythe a dit que j'avais volé des œufs pour faire des *pysanky*. Mama est venue avec moi rencontrer le commandant, et Mary aussi. Nous avons apporté les *pysanky* qui n'avaient pas encore été vendus pour lui montrer que ce n'étaient que des coquilles vides, pas de la nourriture. Le commandant a pris nos œufs et nous a dit de retourner dans notre dortoir. Il fronçait les sourcils, tant il était furieux. Je me demande ce qu'il pense. Pourquoi le soldat Smythe me déteste-t-il autant?

À l'heure du coucher

Le commandant pense-t-il que je suis une voleuse? J'ai peur. J'espère que je ne serai pas mise en isolement cellulaire.

Au petit matin

Je n'ai pas pu dormir de toute la nuit. Il y a une bonne nouvelle que j'ai oublié de te dire, cher journal. La crème de Mama est efficace. Mais je me demande si nous aurons la permission d'utiliser l'oléomargarine pour la fabriquer. On va peut-être accuser Mama d'avoir volé de la nourriture, elle aussi. Mais c'est l'oléomargarine des prisonniers qu'elle utilise, alors tout devrait bien aller.

Samedi 12 juin 1915, dans l'après-midi

J'ai des papillons dans l'estomac. Le soldat Smythe sourit d'un air méchant. Est-ce que ça veut dire que le commandant croit vraiment que j'ai volé de la nourriture???

Dimanche 13 juin 1915, à l'heure du souper

Toujours pas de nouvelles du commandant!

Plus tard

Le soldat Palmer dit que Lyalya a l'air d'aller mieux. Elle ne tousse plus, mais elle est très faible et amaigrie. On lui donne du bouillon de viande pour l'aider à reprendre des forces.

Lundi 14 juin 1915

Cher journal, le commandant n'est pas venu au camp des prisonniers mariés depuis que le soldat Smythe m'a accusée d'avoir volé de la nourriture. Le soldat Smythe est ici tous les jours et il se pavane, comme s'il était quelqu'un d'important. Je n'aime pas ça.

Mardi 15 juin 1915

Toujours pas de nouvelles du commandant.

Mercredi 16 juin 1915, le matin

Le commandant demande à nous voir, Mama, Mary et moi. Je t'en reparlerai plus tard.

L'après-midi

Cher journal, j'arrive du bureau du commandant.

Il était assis derrière sa grande table de travail, et le soldat Smythe se tenait debout, à l'autre bout de la pièce. La dame d'Amos était là, elle aussi! Elle lui a montré le mouchoir que j'avais fait, et le commandant a hoché la tête. Puis elle lui a montré les deux *pysanky* évidés que son mari avait achetés en échange du baume à mouches noires. Cette fois, quand le commandant a hoché la tête, j'ai vu qu'il faisait un petit sourire. Il a remercié la dame, et elle est repartie.

Ensuite, il a ordonné au soldat Smythe de s'avancer. « Vous avez été réaffecté », lui a-t-il dit sèchement.

Tu aurais dû voir la tête du soldat Smythe! Puis le commandant a ajouté : « Faites vos bagages. Vous partez demain matin pour le camp d'internement de Kapuskasing. »

En quittant la pièce, le soldat Smythe m'a regardée d'un œil mauvais et a grommelé quelque chose, mais je m'en fiche. J'espère ne plus jamais le revoir! Mais je suis désolée pour les prisonniers de Kapuskasing!

« Approche, Anya Soloniuk », a dit le commandant. J'ai obéi, le cœur serré. « Tu couds très bien, m'a-t-il dit. Quand tu le pourras, j'aimerais que tu me fasses un mouchoir. Je vais te payer, bien sûr. » J'étais si surprise que je ne savais pas quoi dire. J'ai hoché la tête, puis j'ai fait une révérence. Le commandant a dit que nous pouvions partir.

Mama, Mary et moi sommes retournées à toute vitesse au camp des prisonniers mariés. Nous étions si heureuses! Le commandant ne croit pas que je suis une voleuse et, de plus, il apprécie ma couture! Et ce qui est encore mieux : il nous a débarrassés d'Howard Smythe! C'est une très bonne journée!

Autre chose. Quand nous sommes rentrées au camp, Mama a pris son courage à deux mains et a demandé au soldat Palmer si on lui permettrait de faire de la crème à mouches noires avec l'oléomargarine que les prisonniers reçoivent. Il était très intéressé par sa recette et il a dit qu'il n'y avait pas de problème. Il lui a même demandé si elle pouvait en faire pour les soldats aussi. Il a dit qu'il lui apporterait d'autre oléomargarine. Mama est très contente, et nous sommes tous soulagés.

Oh non! J'avais oublié...

Petro, le frère de Stefan, est prisonnier à Kapuskasing! J'espère qu'il va pouvoir s'arranger pour éviter le soldat Smythe!

Dans mon lit, le soir

Nous avons eu un visiteur de marque aujourd'hui, dans notre camp. Le Père Redkevych est un prêtre catholique ukrainien et il se rend dans tous les camps au Canada. Il a inspecté nos dortoirs et l'endroit où nos hommes travaillent, et il a aussi dit la messe et entendu les gens en confession. Il a béni notre petite église et notre cimetière, puis nous avons dit tous ensemble une prière pour M. Gregoraszczuk.

Mama a eu l'impression que le Père Redkevych avait été troublé par la façon dont nous sommes traités. Elle se demande si on interdira au prêtre d'aller dans les différents camps, si jamais il porte plainte. Au moins, maintenant, il peut veiller sur nous et dire la messe. Mais j'aimerais bien que quelqu'un puisse nous libérer.

J'ai refait le collier d'Irena. Il est très différent maintenant, car j'ai utilisé toutes les perles jaunes et blanches originales que Stefan m'avait aidé à retrouver et aussi les perles que la vieille femme pikogan m'a données (des jaunes, des bleues et quelques rouges, mais aucune blanche). La perle de Venise rouge avec le motif d'oiseau en vol est superbe sur ce collier. J'ai peur de le porter, de crainte de le perdre, mais je l'ai montré à Stefan, et il trouve que j'ai fait du beau travail.

Dimanche 20 juin 1915

Cher journal, aujourd'hui, nous avons reçu d'autres vieux journaux pour les toilettes. Avant de les déchirer en lanières, Mary a lu à voix haute les articles de la première page. Dans l'un d'eux, on disait que les Russes avaient remporté une victoire en Galicie, qui a fait des milliers de morts. Je me demande combien de ceux-là sont nos compatriotes. J'ai du mal à imaginer que tant de gens soient morts. Le meurtre de M. Gregoraszczuk était déjà effrayant, alors « des milliers », c'est un vrai cauchemar!

Il y avait aussi un article à propos d'écoliers qui sont en train de ramasser des tonnes de pièces de monnaie (des cents) à envoyer à la Croix-Rouge pour aider à soigner les soldats blessés. Si j'avais 1 ¢, je l'enverrais à la Croix-Rouge. J'espère que l'organisme soigne les soldats des deux côtés.

Jeudi 24 juin 1915, la Saint-Jean

La Saint-Jean, c'est ce que disent les gens d'Amos pour nommer la fête de saint Jean-Baptiste. Les hommes ont eu congé tout l'après-midi. Je me demande s'il y a un défilé à Amos.

Samedi 26 juin 1915

Lyalya est toujours à l'hôpital. Je croyais qu'elle allait mieux.

Aujourd'hui, j'ai reçu une autre lettre de Maureen! Presque tout ce qu'elle a écrit a été permis par la censure, car je peux tout lire sauf deux lignes. Voici sa lettre.

221-1 (devant), rue Grand Trunk
Montréal, Canada

Jeudi 17 juin 1915

Chère Anya,

Je suis contente que tu ne te trouves pas dans une cellule de prison. L'endroit où tu es semble magnifique, mais c'est quand même une prison. Quelle horreur, que l'affreux Howard Smythe soit soldat là-bas! Je me demandais où il était passé. L'école est presque finie. J'ai eu de bons résultats cette année, mais je n'ai pas d'amies. Tu me manques beaucoup. As-tu le temps de jouer avec tes poupées? J'espère que oui. Le gouvernement devrait tous vous laisser rentrer chez vous. Partout, on voit des enseignes demandant des travailleurs. L'usine où ton père travaillait n'arrive pas à trouver assez d'ouvriers, et la fabrique de vêtements non plus. ~~Ce n'est pas logique, de vous mettre tous en prison alors qu'on aurait besoin de vous ici.~~ *Dès que j'aurai fini l'école, et comme je vais bientôt avoir 14 ans, je vais essayer de me faire*

engager à la fabrique de vêtements. J'aimerais
tellement pouvoir retourner à l'école l'automne
prochain, mais combien de filles se rendent
jusqu'en neuvième année?
Réponds-moi vite, s'il te plaît.

Ta grande amie,
Maureen

J'aime bien avoir des nouvelles de Maureen, et je suis
contente que, pour une fois, elle me parle d'elle-même.
C'est étrange, en effet, qu'il n'y ait plus assez d'ouvriers.
Il y a quelques mois à peine, il y avait de longues queues
aux soupes populaires. Je suppose que tous les ouvriers se
sont enrôlés dans l'armée ou sont en prison comme nous.

Mercredi 7 juillet 1915

Oy! Cher journal, j'ai le cœur en miettes, au moment
où j'écris ces mots. Lyalya est morte! Je croyais pourtant
qu'elle allait mieux. Il y aura une croix de plus dans notre
cimetière.

Jeudi 8 juillet 1915

Les hommes du camp des mariés ont eu droit à
quelques heures de congé ce matin, afin de pouvoir
assister aux funérailles de Lyalya. Son cercueil est si petit,
cher journal! Quelle triste vie elle aura eue! Comme tu
peux t'en douter, Natalka est très abattue, de même que
M. et Mme Tkachuk. M. Tkachuk a découpé un morceau
de tôle pour marquer la tombe de sa fille. Il s'est servi

d'un clou pour graver son nom et sa date de naissance. Notre chère Lyalya ne tombera pas dans l'oubli.

Lundi 12 juillet 1915

Il fait très chaud. Je n'ai pas le cœur à écrire. Je suis encore toute bouleversée par la mort de Lyalya. Slava aussi a beaucoup de peine. Lyalya et elle n'étaient pas de grandes amies, mais elles étaient à peu près du même âge, et je pense que Slava est très troublée à l'idée que quelqu'un de son âge puisse mourir. Elle a déjà perdu sa mère, son père est devenu très bizarre, et maintenant, ceci. *Oy!*

Mercredi 14 juillet 1915

Cher journal, nous avons reçu d'autres vieux journaux pour les toilettes. Ils datent d'il y a une semaine, et les manchettes parlent des Russes qui se battent en Pologne. C'est encore très près de la Galicie, et j'ai beaucoup de peine en lisant ça. On dit aussi que le théâtre de la guerre s'est déplacé hors de la Galicie. C'est triste qu'il y ait encore la guerre, mais je suis soulagée de savoir qu'elle ne se déroule plus tout près de mon ancienne maison.

×× ×× ××
×× ×× ××

Mardi 20 juillet 1915

Dans les vieux journaux que nous avons reçus aujourd'hui, il y avait des titres à propos de héros de la guerre originaires du Canada. Je me demande comment va le frère de Stefan. L'armée s'est-elle rendu compte qu'il n'était pas canadien? Je m'interroge aussi au sujet du frère de Mary. Je parie qu'ils sont tous les deux des héros.

Samedi 31 juillet 1915

Nous nous sommes enfoncés dans une routine monotone, alors il n'y a pas grand-chose à raconter. La nourriture n'est pas bonne, et on fait travailler nos hommes très fort. Il ne fait pas aussi chaud ici qu'à Montréal, et il pleut rarement.

Je passe mes journées avec Mary, à jouer avec les petits et à leur faire la classe. À la fin de l'après-midi, je fais du raccommodage pour des gens. Me voilà bien punie d'être habile de mes mains! Chaque dortoir a reçu un autre rouleau de tissu, alors nous pouvons confectionner d'autres vêtements. J'ai eu un peu de temps pour travailler à mon trousseau et j'ai presque fini mon *rushnyk*. J'ai fait une nouvelle chemise pour Tato, et il l'adore. En ce moment, quand je ne travaille pas à mon *rushnyk*, je confectionne une chemise pour Stefan.

Dimanche 1er août 1915, l'après-midi

Hier j'ai oublié de te mentionner que Mykola était excellent en arithmétique. Mary dit qu'il est le meilleur parmi les petits. Aujourd'hui, les hommes jouaient aux cartes dans notre dortoir, et Tato a assis Mykola sur ses genoux pendant qu'il jouait. Mykola a appris le jeu si rapidement que les hommes l'ont laissé jouer avec eux comme un grand. C'était très drôle à voir, un petit de sept ans assis là à jouer aux cartes en fronçant les sourcils comme un vieux monsieur sérieux!

Mardi 3 août 1915

J'ai reçu une autre lettre de Maureen. Elle raconte, entre autres, qu'elle a été engagée à la fabrique de vêtements et qu'elle a été chargée par le contremaître de me dire qu'il souhaite que je revienne travailler pour lui dès que je serai libérée.

Donc, si cette guerre se termine et si on nous laisse retourner à Montréal, j'aurai un emploi!

Dimanche 8 août 1915

D'autres vieux journaux nous sont arrivés aujourd'hui et, comme c'était dimanche, les hommes ont pu les lire, eux aussi. Un des grands titres disait ceci : « Les Alliés vont finir par avoir les Allemands à l'usure. » J'espère que c'est vrai! Dans un autre journal, on dit que les Autrichiens sont à court d'eau et de nourriture. C'est effrayant! Je veux que cette guerre finisse et je prie pour qu'il n'y ait pas d'autres blessés dans un camp ou dans l'autre. Je suis incapable de me réjouir en pensant qu'un des deux camps remporte une victoire parce qu'alors, je me dis que les gens de l'autre camp doivent souffrir atrocement.

Mardi 10 août 1915

La femme pikogan (la plus jeune) est venue dans le camp. Le garde m'a laissée la saluer. La femme m'a tendu un paquet de tissu, puis elle est repartie. Le paquet contenait des petits fruits sauvages fraîchement cueillis. Ils sont tout petits, tout bleus et délicieux! Je les ai emportés au dortoir pour les montrer à Mama. Elle a dit que Baba pourrait peut-être en faire des *pyrohy* aux fruits pour le souper de ce soir. Ça va être tout un régal!

Une question à laquelle je dois réfléchir : mon amie pikogan nous a donné ces délicieux petits fruits, mais je ne lui ai rien offert en retour. Baba dit qu'elle va y penser.

Dimanche 15 août 1915

Le temps est sec pendant des jours, puis il se met à pleuvoir des cordes quand arrive le dimanche et que les hommes ont congé.

Je ne sais pas comment Baba s'y prend avec le peu que nous recevons, mais elle a trouvé le moyen de faire un gros paquet de *khrustyky*. Ce sont simplement des petits bouts de pâte roulés et aplatis qu'on fait frire et qu'on sert saupoudrés de sucre. Elle en a fait quelques-uns juste pour moi, à apporter à mon amie de la forêt.

Le ciel s'est dégagé au milieu de l'après-midi, alors j'ai demandé à Stefan s'il voulait m'accompagner. Quand nous sommes arrivés à leur campement, il n'y avait pas seulement les deux femmes, mais aussi des hommes et des enfants. Ils semblaient être en train de plier bagages. Je me demande où ils s'en vont.

J'étais contente que Baba ait fait autant de *khrustyky*, car il y avait bien plus de monde que je ne l'aurais cru. Je me suis approchée de la vieille femme, j'ai incliné la tête et je lui ai tendu un des paquets. Elle a tendu sa vieille main toute plissée, puis elle a pris un *khrustyk* et l'a jeté par terre en disant quelque chose qui ressemblait à une prière. Ensuite, elle en a pris un autre, l'a mis dans sa bouche et a fait claquer sa langue de plaisir.

Les gens du campement l'ont regardée, puis ils se sont regroupés autour d'elle et ont goûté aux *khrustyky*, eux aussi. Tout le monde a aimé ça!

Comme nous repartions, la femme qui avait apporté les petits fruits nous a accompagnés et, le long du chemin, elle nous a montré toutes sortes de noix, de fruits et de racines qu'on pouvait manger. Cher journal, tu n'en reviendrais pas en voyant tout ce qu'elle nous a aidé à récolter!

Plus tard

Cher journal, as-tu déjà remarqué que les gens qui possèdent peu de choses sont toujours disposés à partager?

Dimanche 22 août 1915
(ou peut-être lundi matin)

Je me suis réveillée et je n'arrive pas à me rendormir. Je fais toujours le même rêve : la vieille Pikogan est là, debout devant un feu de camp sur lequel elle verse de l'eau. L'image est si réaliste que je sens même la fumée.

Mercredi 25 août 1915

Cher journal, il s'est passé tant de choses ces derniers jours que je ne sais plus par quel bout commencer. Lundi, je me suis réveillée en sursaut au petit matin. Ce n'était pas un rêve. De la fumée entrait dans notre dortoir par les fentes des murs et du toit. J'ai sauté de mon lit et j'ai secoué Tato pour le réveiller. Il a crié à tout le monde de se lever et nous avons ouvert la porte, ce qui a fait entrer encore plus de fumée dans la maison. Je voulais refermer la porte afin d'empêcher le feu d'arriver jusqu'à nous, mais Tato nous a tous fait sortir. Je n'ai même pas eu le temps de mettre mes bottes. Mykola n'a pas pleurniché. Il a fait ce que Tato lui disait de faire.

Une fois dehors, je me suis rendu compte que Slava était restée dans le dortoir, alors je suis retournée la chercher. Il faisait noir, et la fumée était épaisse. Je me suis cogné l'orteil contre quelque chose et j'ai entendu Slava qui hurlait. Je me suis laissé guider par le son, puis je l'ai attrapée par la taille et je l'ai entraînée à l'extérieur avec moi, en trébuchant. C'étaient nos cuisines qui flambaient, et les flammes montaient si haut que j'avais peur que tout le camp des prisonniers mariés soit détruit par le feu.

Les gens des autres dortoirs s'étaient levés, et Tato donnait des ordres pour qu'ils aillent chercher des seaux et des cuvettes. Quelqu'un a tiré une grande baignoire de tôle jusque sous la pompe à eau. Mary et moi, à tour de rôle, nous pompions pour la remplir. Les gens venaient y puiser de l'eau et couraient la lancer sur le feu. Mais les flammes montaient toujours plus haut. Deux femmes ont lancé une couverture trempée dans l'eau sur un des murs en flammes, et le feu s'est un peu calmé.

Quand le premier soldat est arrivé sur les lieux, l'incendie avait presque été maîtrisé. Le soldat avait apporté une boîte pleine d'ampoules de verres contenant un produit servant à éteindre les incendies. Il les a lancées, l'une après l'autre, dans le bâtiment, et les flammes ont baissé.

Nous avons travaillé jusqu'à l'aube. Quand le soleil s'est mis à briller à travers la fumée, j'ai vu que ce n'étaient pas seulement les cuisines qui avaient brûlé, mais aussi un des dortoirs.

Même s'il y a eu beaucoup de dégâts, je suis bien contente que nous ayons réussi à éteindre le feu avant qu'il se propage à la forêt.

Vendredi 27 août 1915

Aujourd'hui, le général Otter est venu inspecter notre camp. Il a dit que, si nous n'avions pas réussi à éteindre le feu aussi rapidement, Amos aurait pu être détruite parce que, dans la région, les incendies se propagent très vite. Il nous a distribué des rations supplémentaires, en récompense.

Cher journal, je suis reconnaissante que le feu ne se soit pas propagé jusqu'à Amos, mais je me demande si les gens d'Amos savent qu'ils viennent de frôler la catastrophe. Si nous n'avions pas réagi aussi vite, il y aurait eu une grande tragédie. Je pense aussi à ce fermier d'Amos qui a tué M. Gregoraszczuk d'un coup de fusil. Est-ce qu'il se rend compte que des gens comme Ivan Gregoraszczuk viennent de sauver sa ville? Le soldat Palmer m'a dit que le fermier qui avait tué M. Gregoraszczuk avait été jeté en prison. Je me demande s'il est mieux traité que nous.

Ce qui me fait le plus plaisir, dans tout ça, c'est que l'incendie n'a pas atteint mes amis pikogan, dans la forêt. Ils ont déjà tant perdu!

Jeudi 2 septembre 1915

Cher journal, j'ai eu du mal à trouver du temps pour t'écrire parce que nous faisons le grand nettoyage dans notre dortoir. Toutes nos couvertures et tous nos vêtements ont été souillés par la fumée. J'ai les mains toutes gercées à force de les laver. On a déjà construit un nouveau dortoir à moitié et, en attendant qu'il soit prêt, les hommes de ce bâtiment vont dormir dans le camp principal, tandis que les femmes et les enfants sont répartis dans les autres dortoirs.

Samedi 4 septembre 1915

Toujours en train de nettoyer. Je ne peux pas en écrire plus parce que j'ai trop mal aux mains.

Mercredi 15 septembre 1915

Cher journal, tu te souviens sans doute du soldat Palmer et de son appareil photo? Aujourd'hui, il est venu nous montrer d'autres photos. Il y en a une de Lyalya avant qu'elle tombe malade. Il l'a donnée à Natalka pour qu'elle puisse se remémorer sa sœur quand les choses allaient mieux. C'était vraiment très gentil de sa part. C'est le plus gentil de tous les soldats qui sont ici.

Jeudi 23 septembre 1915, après le souper

On nous a donné d'autres journaux pour les cabinets et, bien sûr, nous avons gardé les parties qui étaient encore lisibles avant de les découper en lanières. Je croyais que la guerre ne se déroulait plus en Galicie, et c'était vrai, mais maintenant, les Russes ont réussi à faire reculer les Autrichiens, et la guerre a recommencé à faire rage en Galicie. Je suis morte d'inquiétude. Est-ce qu'il reste encore un seul survivant chez nous?

Mardi 28 septembre 1915, à l'aube

Cher journal, la température est descendue au-dessous de zéro trois nuits de suite. Au moins, les mouches noires sont parties. Mary et moi devons trouver quelque chose d'autre à faire avec les petits, car nous n'avons plus rien à leur enseigner. Je crois que nous devrions les laisser courir dehors et s'amuser. Après tout, il fait encore doux, mais ça ne durera pas très longtemps. Si nous avions une balle et des bâtons, nous pourrions jouer au hockey.

Plus tard

Mary dit que nous devrions apprendre aux plus grandes à raccommoder et à tricoter. Pas bête, comme idée! Elles n'auraient pas besoin d'en faire trop longtemps : une heure par jour, peut-être.

Lundi 4 octobre 1915

À Spirit Lake, on dirait que, quand il pleut, c'est toujours à torrents. Le temps est sec pendant des jours et des jours, puis la pluie se met à tomber comme des cordes. Il y a de la boue partout, et les petits ne peuvent pas aller jouer dehors.

Mardi 5 octobre 1915

Cher journal, mon petit frère futé a inventé un jeu avec un jeu de cartes qu'il avait fabriqué lui-même. On place toutes les cartes à l'envers sur la table, puis chaque joueur doit en prendre deux. Si elles totalisent huit ou moins, on les garde. Si le total est plus élevé, on doit les remettre à l'envers sur la table, à l'endroit exact où on les a prises. Les joueurs jouent ainsi à tour de rôle jusqu'à ce qu'il ne reste plus de cartes totalisant huit ou moins. C'est très amusant! Ce qui est encore mieux, c'est que les petits qui en avaient assez de l'arithmétique y prennent vraiment plaisir maintenant, et je crois qu'ils apprennent mieux les chiffres de cette façon.

Mercredi 13 octobre 1915

Aujourd'hui, quand Tato est revenu de la forêt, il avait l'air furieux. Il a dit que des hommes de son unité ont refusé de travailler parce qu'ils étaient trop fatigués. Les soldats les ont donc mis en isolement cellulaire. Tato dit que, pour compenser, le reste de l'unité doit abattre encore plus d'arbres. Ce n'est pas juste!

Jeudi 21 octobre 1915, au dîner

Les journaux semblent dire que « l'ennemi » s'en tire mieux que les Alliés, mais la bataille se déroule maintenant dans les Balkans et non plus en Galicie. Ce ne sont toujours pas de bonnes nouvelles, mais c'est mieux que les pires des mauvaises nouvelles. Pourquoi cette guerre ne prend-elle pas fin? Au fait, comment une guerre prend-elle fin?

Lundi 25 octobre 1915

J'ai enfin reçu une lettre d'Irena. J'étais si inquiète à son sujet. Je ne peux pas lire toute la lettre parce que des passages ont été raturés, mais dans ce qu'il reste de lisible, je crois comprendre que son voisin est encore dans un camp d'internement. Au moins, le père d'Irena n'a pas été arrêté. Le gouvernement a donné la ferme de leur voisin à une famille canadienne en prétendant que M. Feschuk l'avait abandonnée.

Oy! Cher journal, je suis contente que la famille d'Irena soit encore réunie et que son père n'ait pas été arrêté, mais j'ai beaucoup de peine pour leur voisin! Comment le gouvernement peut-il prétendre que M. Feschuk a abandonné sa ferme alors que c'est le gouvernement lui-même qui a ordonné qu'on l'emmène loin de là? Je trouve que ce n'est pas juste!

Dimanche 7 novembre 1915

Cher journal, quand nous avons reçu les journaux aujourd'hui, tout le monde s'est rassemblé dans un des dortoirs pour que nous puissions lire les articles ensemble, puis en discuter. La guerre fait toujours rage, mais on ne parle plus de la Galicie, alors j'espère que c'est bon signe. Une chose m'a rendue furieuse : le Canada reçoit des tas de commandes de munitions. Au total, l'industrie canadienne va vendre pour près d'UN DEMI-MILLIARD de dollars de munitions à la Grande-Bretagne! J'ai peur, quand je pense au nombre de personnes qui vont se faire tuer par ces munitions.

Mama a reçu une lettre de Mme Haggarty! Mama dit que je peux la coller dans mon journal. La voici.

23, avenue Victoria
Montréal, Québec

Le 2 novembre 1915

Chère madame Soloniuk,
J'ai eu un entretien avec le maire, au cours duquel je lui ai exprimé mon vif mécontentement quant à la détention de votre famille. Il dit que la décision relève du gouvernement fédéral, et non pas des autorités municipales, et qu'il n'a pas le pouvoir d'intervenir. Toutefois, il a pris bonne note de ma plainte.
Je tiens à vous faire savoir que j'ai écrit aux autorités compétentes à votre sujet. À mes yeux, ce que le gouvernement a fait est absolument scandaleux, pas seulement ce qu'il a fait à votre famille, mais à tous les autres malheureux de votre nation.
Quand vous serez enfin relâchée de cette prison, je vous prie de me le faire savoir. Je vous réengagerai sur-le-champ.
À bientôt, j'espère.

Mme Albert Haggarty

Cher journal, Mme Haggarty utilise de bien grands mots, et j'ai du mal à comprendre ce qu'elle veut dire. Mary m'a expliqué que Mme Haggarty avait pris contact avec des gens importants afin de nous faire sortir d'ici! En tout cas, j'ai bien compris la dernière partie, à propos du travail de Mama. C'est une bonne nouvelle, ça aussi. Je trouve intéressant que rien n'ait été raturé dans la lettre de Mme Haggarty. C'est probablement parce que les gens de la censure n'ont pas compris ses grands mots, eux non plus.

Samedi 20 novembre 1915

Nous avons reçu un journal daté de la semaine dernière, où on dit que les Russes ont emprisonné des armées entières. On dit aussi que « l'ennemi » veut mettre fin à la guerre, mais que les Alliés vont continuer à se battre jusqu'à ce que ce soit eux qui gagnent. Si les Autrichiens ne veulent plus se battre, est-ce que ça veut dire que les Alliés ont déjà gagné?

Dimanche 28 novembre 1915

Cher journal, je me sens très seule et triste. Il fait froid, et le vent entre par les fentes des murs de notre dortoir. Même mes couvertures ne sont pas suffisantes pour me tenir au chaud.

J'aimerais tant savoir où sont parties les femmes pikogan! Est-ce que le gouvernement les a arrêtées, elles aussi?

Je suis reconnaissante que notre famille soit réunie ici.

Au moins, je sais que nous sommes tous en sécurité. Je suis heureuse aussi que Mary soit tout près. Je trouve que nous formons une bonne équipe quand nous nous occupons des petits. J'aimerais que Stefan n'ait pas à travailler autant. Je le vois rarement, sauf le dimanche. Je l'aime beaucoup plus qu'avant.

Mardi 30 novembre 1915
(froid et neigeux)

Oy! Cher journal, encore un autre journal et encore plus de pertes humaines. Les Russes ont fait pas moins de 10 000 prisonniers en Serbie.

Mercredi 8 décembre 1915

Il fait froid dehors et il est tombé beaucoup de neige la nuit dernière, mais les soldats continuent d'obliger les hommes à se rendre en forêt. C'est injuste! Ils n'ont même pas les bottes et les gants qu'il faut pour ces températures. Comment se fait-il que les soldats soient habillés bien chaudement, et pas nos hommes? Je ne crois pas...

Plus tard

Je suis à l'hôpital, assise au chevet de Stefan. Il s'est finalement endormi. Voici ce qui est arrivé quand j'ai interrompu mon écriture et que je suis partie en courant.

Il faisait si froid ce matin que les mains de Stefan se sont engourdies. Sa scie lui a glissé des mains et lui a fait une profonde entaille dans la jambe. Les hommes l'ont ramené au camp. Le docteur d'ici refuse souvent de soigner les prisonniers parce qu'il pense qu'ils viennent le voir pour se plaindre et ainsi obtenir un congé. Mais quand il a vu la jambe de Stefan, il a tout de suite su qu'il avait vraiment besoin d'un docteur.

Jeudi 9 décembre 1915
À l'hôpital

Tato m'a fabriqué un crochet en bois, et Baba m'a montré comment m'en servir. J'ai détricoté une couverture qui avait été abîmée dans l'incendie et j'en ai récupéré la laine. Je suis en train de crocheter une paire de gants pour Stefan, tandis qu'il somnole. Quand il se réveille, nous parlons. Parfois, je lui lis le journal.

D'un côté, je suis triste que Stefan se soit blessé et qu'il soit obligé de rester à l'hôpital, mais de l'autre, je m'en réjouis. Il a la chance de pouvoir se reposer, et on lui donne davantage à manger. En plus, le docteur a découvert qu'il n'était pas aussi âgé que tout le monde le pensait, alors quand il sortira de l'hôpital, il n'aura pas à retourner dans la forêt. Stefan a dit qu'il voulait rester auprès de son père, mais le docteur a répliqué que ce n'était pas une bonne idée. Il a dit qu'il pourrait lui trouver un travail ici. Je serais drôlement contente si ça marchait!

Vendredi 10 décembre 1915

Cher journal, la jambe de Stefan n'est toujours pas très jolie à voir. Je lui ai lu des articles dans un des journaux que le docteur avait à l'hôpital. Il était daté de samedi dernier. On dit que l'armée a quitté Lviv, en Galicie, parce que les gens souffraient du scorbut là-bas. Le docteur m'a expliqué que le scorbut était une maladie que les gens attrapaient quand ils n'avaient pas assez de fruits et de légumes à manger.

Dimanche 12 décembre 1915, le matin

Le prêtre d'Amos est venu et il a dit la messe à l'hôpital, alors Stefan a pu y assister. La Mama de Stefan, ma Mama et d'autres prisonnières sont venues entendre la messe ici, elles aussi. Ce n'est que plus tard que je me suis aperçue que Stefan était le seul homme sur place! Par la suite, il m'a dit qu'il n'y aurait pas assisté s'il avait eu le choix. Pourquoi les hommes n'aiment-ils pas aller à l'église?

Mercredi 15 décembre 1915

Stefan se sent mieux. Il peut se lever et marcher un peu. Sa jambe n'est toujours pas très belle à voir, mais il a dit qu'il n'avait plus mal. Je lui ai montré le jeu de cartes que Mykola a inventé, et Stefan aime beaucoup y jouer. Depuis qu'il est à l'hôpital, nous avons eu beaucoup de temps pour parler. Tu ne devineras jamais, cher journal. Il a dit qu'il m'avait aimée dès le premier instant où il m'avait vue. Il m'a demandé si c'était la même chose pour moi. Je lui ai répondu que non, car c'est la vérité. Pendant longtemps, je n'aimais pas Stefan, mais maintenant, il m'est très cher.

Dimanche 19 décembre 1915
Le jour de la Saint-Nicolas

Cher journal, c'est bête à dire, mais je dois avouer que, même si je suis prisonnière, c'est la plus belle fête de Saint-Nicolas de toute ma vie! Ma famille est réunie, et nous sommes en sécurité. Stefan est sorti de l'hôpital et il ne boite pas trop. Son père a insisté pour qu'il accepte le travail que le docteur lui a trouvé. Il s'occupe donc de l'entretien à l'hôpital, ce qui est beaucoup plus sécuritaire et il y fait plus chaud que dans la forêt. J'aimerais tant que Tato et M. Pemlych se voient aussi offrir un travail sécuritaire!

Je suis contente parce que j'ai trouvé le moyen de faire un cadeau à tous mes amis et à toute ma famille. Voici ce que je leur ai offert :

Mama – une écharpe au crochet

Baba – la même chose

Tato – des gants crochetés, à porter sous ses mitaines quand il travaille

Mykola – une chemise bordée de broderie

Slava – un corsage bordé de broderie

Stefan – Je lui ai fait une paire de gants, mais il les a donnés à son père, alors je lui ai fait une autre chemise avec un peu de broderie. Il l'adore!

Mary – un mouchoir brodé

J'ai aussi donné un mouchoir brodé au soldat Palmer.

Au cas où tu te demanderais où j'ai trouvé tout le tissu pour confectionner ces cadeaux, rappelle-toi que le commandant voulait un mouchoir brodé. Au lieu de me faire payer en argent, je lui ai demandé de me donner d'autre tissu. Mama a teint les fils à broder avec ses teintures. Quant aux gants, je les ai faits avec la laine que j'avais récupérée des couvertures enfumées.

J'ai préparé quelque chose de très spécial pour les femmes pikogan. J'espère les revoir bientôt.

Plus tard

Dans mon excitation à te raconter tout ce que j'ai donné aux autres, j'ai oublié de te dire ce que j'ai reçu, moi! Tato a continué de construire ma maison de poupée et a aussi fabriqué d'autres petits meubles. Mama m'a donné une magnifique chemise de nuit brodée qui vient de son trousseau, et Baba m'a offert la cuillère d'argent qui est dans la famille depuis toujours. J'étais très surprise! Je suis bien contente que les soldats n'aient pas trouvé cette cuillère! Je l'ai maintenant cachée dans un endroit sûr. Je peux dire, en regardant mes cadeaux, que Tato veut que je reste une petite fille, tandis que Mama et Baba voient déjà que je suis presque devenue une femme.

Stefan m'a vraiment étonnée avec son cadeau. C'est un bracelet de perles de verre assemblées avec un lacet de cuir. Quand a-t-il appris à enfiler des perles et quand a-t-il trouvé le temps de faire ce bracelet? Je vais le garder précieusement pour toujours.

Et la plus grosse surprise, c'était une boîte que Mme Haggarty avait envoyée à Mama. Elle était pleine de vêtements et de bottes d'hiver. Voici ce qui était écrit sur la carte de souhaits :

Chère madame Soloniuk,

Il peut sembler quelque peu déplacé de ma part de vous souhaiter un joyeux Noël, étant donné votre situation actuelle, mais je tiens à vous faire savoir que je pense très souvent à vous et à votre famille. Mon souhait le plus sincère est que vous recouvriez votre liberté très bientôt. Que Dieu veille sur vous tous,

Mme Albert Haggarty

Ce que veut dire cette lettre, derrière tous les grands mots, c'est : « Passez un bon Noël et revenez-nous bientôt! » Je pense que Mme Haggarty doit être très intelligente pour pouvoir ainsi trouver des mots que les gens de la censure ne ratureront pas.

Samedi 25 décembre 1915

Aujourd'hui, c'est le Noël canadien, alors nos hommes ont congé toute la journée et demain aussi. C'est leur plus long congé depuis que nous sommes ici. Mykola voulait faire un bonhomme de neige, mais il fait si froid qu'on ne peut pas former de boules avec la neige! De toute façon, nous préférons tous rester à l'intérieur.

Lundi 27 décembre 1915

Cher journal, on nous a encore donné de vieux journaux, et les articles en première page sont effrayants. Les Allemands avaient l'intention de faire sauter le canal Welland! C'est au Canada! On dit que des espions allemands qui habitent au Canada et aux États-Unis devaient mettre ce plan à exécution. J'espère que le gouvernement ne va pas encore nous mettre ça sur le dos.

Le soldat Palmer m'a dit que les soldats d'ici ne nous confondaient pas avec les Allemands, seulement avec les Autrichiens. Il dit qu'il y a d'authentiques Allemands qui sont prisonniers de guerre au Canada et qu'ils sont mieux traités que nous. Ils sont bien nourris et n'ont pas à travailler. Même que certains auraient emmené des domestiques pour s'occuper d'eux, à l'intérieur des camps! Je suppose qu'ils sont mieux traités parce qu'ils ont plus d'argent. Je trouve que ce n'est pas juste.

1916

Pas aussi froid, mais beaucoup de neige.

C'est Baba qui a eu l'idée de rassembler toutes les femmes aujourd'hui, afin de préparer le souper traditionnel de la veille du Noël ukrainien pour tous les prisonniers du camp principal. Ici, au camp des prisonniers mariés, nous sommes à peu près 80 femmes et jeunes filles, et il y a environ 800 hommes dans le camp principal. Chacune des femmes devra donc s'occuper du repas de 10 prisonniers. Nous avons travaillé en équipe. Les unes ont fait cuire du *kolach*, et d'autres ont préparé des cigares au chou, des *pyrohy* à la choucroute et du *borshch* au chou. S'il y a une chose qu'on trouve en abondance dans ce camp, c'est bien du chou!

C'était merveilleux, de voir la tête des hommes quand nous leur avons apporté toute cette nourriture. Comme tous les mets sont prêts, ils n'auront qu'à tout faire réchauffer dans leurs cuisines, le soir de *Svyat Vechir*, et ils auront un festin de 12 plats. J'ai de la peine pour eux, car ils sont tout seuls, loin de ceux qu'ils aiment. Au moins, au camp des gens mariés, nous sommes en famille.

Mercredi 5 janvier 1916

Encore de la neige. Beaucoup plus froid, surtout la nuit dernière!

Nous avons reformé les mêmes équipes afin de préparer les mets pour notre camp à nous. Nous avons donc fait deux grosses journées de travail, mais j'ai trouvé ça très agréable.

Jeudi 6 janvier 1916, Svyat Vechir

Cher journal, c'était une journée extraordinaire. Nous venons de rentrer de la messe de minuit. Le thermomètre indique 27 degrés au-dessous de zéro, et je suis sûre qu'il ne se trompe pas. J'ai dû me couvrir le visage de mon écharpe, avec juste une petite fente pour les yeux, et même là, j'avais si froid au visage que ça faisait mal.

C'est magnifique dehors en ce moment, car la neige scintille comme mille diamants. Nos dortoirs ne sont pas faits pour les grands froids. J'ai mes chaussettes et mes chaussures aux pieds, je porte mes vêtements et mon manteau, et je me suis enroulée dans toutes mes couvertures. C'est difficile d'écrire avec des gants!

Il y a un an exactement, nous étions dans notre logement de Montréal et nous étions tous réunis. Tato est dans ce camp depuis presque un an, et nous, depuis plus de huit mois.

Nous avons partagé notre souper de veille de Noël avec tout le monde dans notre dortoir, et c'était merveilleux. La nourriture était délicieuse, et les hommes ont eu la permission de rentrer de la forêt un peu plus tôt, aujourd'hui. Nous avons eu une surprise! Par le biais de journaux et d'églises de notre communauté, des Ukrainiens ont réuni des fonds. Nous avons reçu un colis rempli de toutes sortes de fruits. Je crois que chacun des prisonniers a reçu un colis. J'ai été vraiment surprise parce que je pensais que tous les Ukrainiens se trouvant au Canada étaient internés, mais je me trompais.

C'est merveilleux, d'avoir tous ces fruits! Peut-être échapperons-nous au scorbut, contrairement aux gens de Lviv.

Mardi 11 janvier 1916

Beaucoup de neige, la nuit dernière, et très froid.

Je n'arrive pas à croire qu'il me reste si peu de pages! C'était pourtant un très gros carnet. Je n'écrirai plus rien, sauf si c'est très important.

Dimanche 6 février 1916
(froid, sec et ciel limpide)

Dans le journal, on dit que les femmes du Manitoba peuvent maintenant voter!

Jeudi 10 février 1916

Cher journal, c'est le jour de ma fête patronale, et il fait un froid de canard, avec 13 degrés au-dessous de zéro.

Je n'arrive pas à croire que j'ai 14 ans. Il y a deux ans que Tato m'a fait cadeau de toi, et voilà qu'il ne te reste plus que quelques pages vides. Quand je te feuillette, je suis étonnée de tout ce que j'ai vu et accompli.

Je suis contente d'être avec Tato le jour de ma fête, mais aussi triste que nous soyons encore prisonniers ici, à Spirit Lake.

Au souper, Mama et Baba avaient une grosse surprise pour moi. Elles m'ont fait un gâteau d'anniversaire. Aujourd'hui n'est pas mon anniversaire de naissance; c'est le jour de ma fête patronale. Mais elles ont dit que, maintenant que nous sommes au Canada, je dois le célébrer comme une Canadienne, avec un gâteau d'anniversaire. Je crois que l'idée est venue du soldat Palmer et qu'il leur a procuré les ingrédients nécessaires, dont un peu de cacao. Au lieu d'avoir plusieurs couches fines, comme un gâteau ukrainien, celui-ci a seulement deux étages épais, séparés par une couche de glaçage crémeux et sucré. Le même glaçage recouvre le gâteau en entier. Il était un peu trop sucré à mon goût, mais Mykola l'a adoré.

C'était amusant aussi parce que Stephan et Tato m'ont offert presque la même chose. Tato m'a sculpté une cigogne à mettre sur le toit de ma maison de poupée (il a dit que, même s'il n'y avait pas de cigognes au Canada, je devrais en avoir une, en guise de porte-bonheur). Stefan, lui, m'a sculpté un petit aigle aux ailes déployées. On ne peut pas le poser sur quoi que ce soit, car il bascule aussitôt. Stefan dit qu'on est censé le tenir.

Dimanche 9 avril 1916, jour de la Pâque ukrainienne

Cher journal, notre famille en entier est réunie. C'est la première fois en trois ans que nous passons le jour de Pâques tous ensemble. Si seulement nous n'étions pas prisonniers!

Mercredi 17 mai 1916

Certains des prisonniers ont été relâchés! Une douzaine d'entre eux ont quitté le camp, il y a une semaine, et encore 20 autres hier. J'espère que ce sera bientôt notre tour.

Lundi 22 mai 1916

Cher journal, j'ai reçu une lettre d'Irena, mais elle date de plusieurs mois. Un représentant du gouvernement s'est présenté chez eux. Les parents d'Irena avaient peur, car ils pensaient que le père d'Irena allait se faire arrêter. En fait, le représentant était à la recherche de Yurij Feschuk, qui s'était évadé du camp d'internement durant l'hiver. Il pensait que Yurij était peut-être retourné à Hairy Hill. Mais Irena lui a dit que personne ne l'avait aperçu. Je me demande où il est. Ce doit être effrayant d'avoir le gouvernement à ses trousses!

Samedi 27 mai 1916

Plus de 100 prisonniers ont maintenant été relâchés. J'ai découvert ce qui se passait. Ils ne retournent pas chez eux; on les envoie travailler dans les mines et les usines.

Pourquoi ne peuvent-ils pas retourner chez eux?

Ça m'agace quand je pense que ces hommes sont en prison depuis si longtemps, sans aucune raison. Pourquoi le gouvernement ne veut-il pas comprendre que les mines et les usines ont besoin d'ouvriers? Pourquoi ne nous libère-t-il pas, tout simplement? Nous voulons travailler, mais nous voulons aussi être libres.

Plus tard

Je crois que j'ai aperçu la femme pikogan, mais quand je me suis dirigée vers elle, elle a disparu.

Vendredi 9 juin 1916

Oy! Cher journal, un des gardes m'a raconté qu'il y avait eu une « émeute » au camp d'internement de Kapuskasing. Une émeute, c'est quand des gens se mettent à crier, à hurler et à lancer toutes sortes d'objets. Mille deux cents prisonniers et trois cents gardes ont été impliqués. J'espère que le frère de Stefan n'a rien. C'est là aussi que se trouve l'affreux soldat Smythe. Je me demande s'il y est pour quelque chose dans cette histoire.

Jeudi 15 juin 1916

Cher journal, de bonnes nouvelles!!!

Le patron de Tato lui demande de revenir travailler pour lui. Il veut que M. Pemlych revienne, lui aussi. Tato ne devrait pas avoir de problèmes, à condition qu'il se présente aux bureaux du gouvernement quand on le lui demande et qu'il ait toujours ses papiers sur lui. Je sais aussi qu'on m'attend pour que je reprenne mon poste à la machine à boutonnières. Peut-être que je pourrai aller à l'école le soir. Mme Haggarty attend le retour de Mama. Nous allons bientôt partir d'ici. J'ai tellement hâte!!!

Plus tard

Est-ce que les gens vont être méchants envers nous, quand nous serons de retour à Montréal?

Vendredi 16 juin 1916

En parlant de méchanceté, le père de Slava ne retourne pas à l'usine. Aujourd'hui, il a été envoyé sur la côte est, pour travailler dans une mine. Slava a pleuré à chaudes larmes. Je trouve terrible qu'on les sépare ainsi. Ils sont tout, l'un pour l'autre. Je fais ce que Tato m'a demandé de faire : je considère Slava comme ma petite sœur. Elle va habiter avec nous à Montréal.

Jeudi 29 juin 1916

Cher journal, je croyais que nous serions déjà partis, mais nous attendons toujours les documents officiels. Il ne reste plus grand monde, dans notre camp d'internement. La plupart des prisonniers célibataires du camp principal ont été emmenés ailleurs. Je trouve ça ignoble, qu'on ne les ait pas libérés.

Voici une autre chose ignoble : on n'a pas redonné son alliance à Mama, ni les quelques dollars qu'elle avait en arrivant. Baba a récupéré son alliance coupée, mais elle ne peut plus la porter, bien sûr. J'essaie de ne pas trop y penser, car ça ne changerait rien. Heureusement, Tato a récupéré l'argent qu'il avait gagné en travaillant pendant qu'il était prisonnier.

Mercredi 19 juillet 1916

Nous partons dans deux jours!!!

Jeudi 20 juillet 1916

J'ai revu les femmes pikogan, cher journal! Voici ce qui s'est passé.

La plus jeune se tenait aux limites de notre camp et me faisait signe de la suivre. Je me suis précipitée dans notre dortoir et j'ai pris mon cadeau. J'ai aussi pris mon collier et je l'ai mis autour de mon cou. J'en suis fière et je voulais le montrer à ma chère vieille Pikogan.

Nous avons emprunté un autre chemin, dans la forêt. Au bout de ce qui m'a semblé être une heure de marche, j'étais fatiguée et j'avais faim, mais nous sommes finalement arrivées dans une clairière. Des enfants y jouaient et un jeune homme nettoyait un fusil.

La femme est entrée dans une des tentes, et je pouvais l'entendre qui parlait à la vieille dame. Puis elle a rabattu le pan de la tente et m'a fait signe d'entrer à mon tour. La vieille dame avait l'air affaiblie et avait les yeux marqués par la fatigue. J'en ai eu de la peine. Pourquoi était-elle malade? La jeune femme m'a fait signe de montrer mon collier à la vieille dame. J'ai retiré mon collier et le lui ai tendu.

Une lueur est apparue dans ses yeux. Elle a pris le

collier dans ses mains toutes ridées et l'a serré contre son cœur, puis elle l'a approché de ses yeux, examinant attentivement mon travail, et finalement, elle me l'a remis.

Puis j'ai sorti mon *rushnyk*.

Cher journal, je sais ce que tu penses! Il m'a fallu tant de temps pour faire ce *rushnyk*! Mais je pourrai toujours en faire un autre. Mes amies, elles, je ne pourrai jamais les remplacer.

La vieille dame a tendu les mains, et je le lui ai donné. Elle a caressé la broderie comme si ce morceau de tissu avait été un petit enfant, puis elle l'a approché de son visage et a examiné tous les points. Elle a drapé le *rushnyk* sur ses épaules et a souri. Elle avait vraiment l'air d'une grande dame. Je crois que c'est elle, l'esprit du lac.

Je m'apprêtais à partir quand elle a levé la main, comme pour me dire d'attendre encore un peu. Puis la jeune femme est sortie de la tente et est revenue avec un sac de toile. La vieille dame a ouvert le sac et en a retiré quelque chose qui avait l'air d'une fourrure. Je l'ai déplié et je suis restée bouche bée. C'était une veste, très semblable à un *kamizelka* de mon ancienne patrie. Mais au lieu d'être ornée de broderies et de perles de toutes les couleurs, elle avait été décorée avec quelque chose que je n'avais jamais vu de ma vie : ça ressemblait à des petites perles blanches et allongées.

C'était si beau que j'avais peur d'y toucher. La jeune femme a pris la veste et m'a fait signe de l'enfiler. Elle m'allait comme un gant.

J'étais si émue que j'étais sur le point de fondre en

larmes. Je n'arrêtais pas de remercier la vieille dame, tout en me levant et en sortant de la tente. La jeune femme m'a ramenée au camp d'internement. Juste avant d'y arriver, elle a incliné la tête, puis a disparu.

Chaque fois que je touche cette veste de cuir fin, je repense à mes chères amies. Et quand je la mets sous mon nez, il s'en dégage un parfum de fumée et de baies sauvages. Je ne reverrai plus jamais mes amies pikogan, mais elles seront toujours avec moi.

Vendredi 21 juillet 1916, tôt le matin
(chaud et humide)

Nous quittons enfin le camp d'internement de Spirit Lake! Par la fenêtre du train, je peux voir des mouches noires et des moustiques, mais ceux qui étaient à l'intérieur sont tous morts écrasés, à l'heure qu'il est. Même si les fenêtres sont ouvertes, les insectes ne peuvent plus entrer, car nous roulons trop vite.

Je suis assise à côté de Stefan. Mama et Tato sont en face de nous. Baba est assise avec une autre vieille femme, et elles sont en grande conversation. Je ne sais pas où se trouve Mykola. Il était assis avec Slava, mais il a disparu au bout du couloir.

J'ai failli oublier : Stefan dit que les perles allongées de ma veste sont des piquants de porc-épic. Incroyable!

Plus tard

Nous sommes toujours à bord d'un train, en direction du sud, vers Montréal. Stefan est appuyé contre la fenêtre et il dort profondément. Je crois que la moitié des passagers sont endormis ou essaient de dormir. Je dois m'arrêter ici, cher journal, car c'est ta dernière page. Je tiens à ce que tu saches que je vais bien et que je suis heureuse, avec ma famille. Et aussi avec Stefan.

Épilogue

Une fois revenus à Montréal, les Soloniuk avaient toujours très peu d'argent. Ils ont donc partagé un logement avec la famille de Stefan pendant six mois. Slava a emménagé avec eux. Durant cette période, les liens d'amitié entre Anya et Stefan se sont resserrés, malgré les sautes d'humeur qu'avait parfois Stefan quand il ressassait ses mauvais souvenirs du camp d'internement. Anya faisait de son mieux pour le réconforter et, la plupart du temps, réussissait assez bien. Quand leurs deux familles ont enfin eu les moyens de louer chacune son logement, Anya n'était pas tout à fait heureuse, car elle se rendait compte à quel point Stefan lui était devenu cher. Stefan et elle se voyaient quand même tous les jours. Slava a continué d'habiter avec la famille d'Anya. Elle est devenue, en tous points, la fille cadette de la famille Soloniuk, même si elle a gardé son nom.

Anya et Mary ont été accueillies à bras ouverts, à la fabrique de vêtements. Anya craignait qu'on la traite avec hostilité, mais le contremaître a eu tant de mal à recruter des ouvrières canadiennes de naissance qu'il en est arrivé à augmenter le salaire des deux amies. Quand Anya a suggéré qu'il engage aussi Slava, il n'a pas hésité une seule seconde à le faire.

Anya était de nouveau à la machine à boutonnières. Elle faisait bien son travail, mais elle ne l'aimait pas. Un jour, elle a pris son courage à deux mains et a demandé au contremaître de lui donner un autre travail. Réticent au départ, il a finalement accepté. Il a promu Anya au rang de « formatrice » : au lieu de faire elle-même des boutonnières, elle apprenait le travail aux nouvelles recrues. Puis elle a appris à d'autres nouvelles à poser les fermetures éclair. Ce travail était beaucoup moins dur pour les mains d'Anya, et il payait mieux, aussi.

Au fil des années, Anya a obtenu d'autres promotions, mais, malgré ses responsabilités accrues et la diversité de ses tâches, elle n'aimait toujours pas son travail. Elle rêvait de retourner à l'école, mais n'avait pas les moyens d'arrêter de travailler.

En 1919, Anya a pris une grande décision. Elle allait continuer à travailler, mais s'inscrirait à l'école du soir afin d'obtenir son diplôme d'études secondaires. Son cours préféré était la littérature anglaise, mais à sa grande surprise, elle obtenait les meilleures notes en français et en latin. Elle adorait apprendre, mais cela voulait dire qu'elle voyait Stefan moins souvent.

Stefan aussi avait moins de temps pour Anya, durant ces premières années. Son premier emploi après sa sortie du camp d'internement a été à l'usine, où il travaillait avec son père et celui d'Anya. Mais il détestait cet emploi et l'a quitté au bout d'une semaine. Au début, il s'est remis à vendre des journaux, puis a vendu des parapluies, des éventails et toutes sortes objets. Au bout d'un an ou deux, il avait si bien réussi qu'il a pu recruter des vendeurs qui travailleraient pour lui pendant que lui-même s'occuperait de trouver d'autres articles intéressants à vendre.

Baba a vécu jusqu'à un âge avancé, malgré sa jambe qui continuait de lui causer des ennuis. Quand les Soloniuk ont pu louer leur propre logement, ils ont fait en sorte qu'il se trouve au rez-de-chaussée afin que Baba n'ait plus à grimper des marches. Elle a contribué au revenu de la famille en faisant des lessives. Elle s'est aussi occupée de tout ce qui touchait à la cuisine et au ménage pour toute la famille. Le seul problème pour elle qui restait ainsi à la maison, à s'occuper de toutes les tâches ménagères, c'est qu'elle n'a jamais appris ni l'anglais ni le français. Lorsqu'elle sortait, c'était pour se rendre à l'église ukrainienne, aux bureaux de l'Association ukrainienne et au marché. Jusqu'à sa mort, elle n'a pu apprendre que quelques mots ou expressions en anglais ou en français

Mme Haggarty a tenu sa promesse et a réembauché Mama. Celle-ci a reçu une petite augmentation de salaire et, de temps à autre, Mme Haggarty ramenait Mama chez elle, dans son automobile! La première fois, Mama, verte de peur, n'a pas lâché la poignée de la porte de tout le trajet. Mais au bout de quelque temps, elle s'est mise à apprécier la promenade. Elle aimait beaucoup voir les regards étonnés des badauds, devant l'automobile.

Le père d'Anya revenait souvent de l'usine épuisé et trempé de sueur, mais toujours avec le sourire aux lèvres. Un jour, son contremaître l'a fait venir dans son bureau et lui a suggéré de changer de nom. « Si vous vous appeliez Georges Sloan au lieu de Yurij Soloniuk, je pourrais vous faire nommer gérant », lui a-t-il dit. « Non, je ne serai jamais Georges Sloan », a rétorqué le père d'Anya. Il a raconté cette histoire un soir, au souper, comme si elle était très drôle, mais personne d'autre ne riait. « Ce n'est pas juste! » s'est exclamée Anya, les yeux brillants de colère. « La vie n'est pas juste, a répliqué son père en lui serrant doucement la main. Mais tout finit toujours par s'arranger. »

Ce n'est pas exactement ce qui est arrivé. C'est Howard Smythe qui est devenu gérant. Au bout d'un an environ, les ouvriers ont fait la grève, et M. Soloniuk a été nommé représentant syndical. Howard Smythe a si mal géré l'affaire qu'une émeute a failli éclater à l'usine. Il a été congédié. Le père d'Anya a résolu le problème de la grève avec tact et patience, en s'assurant que les ouvriers obtiendraient une légère augmentation, mais surtout, la sécurité d'emploi. Il a aussi réussi à convaincre la direction que cette sécurité d'emploi était en même temps une sécurité pour l'usine même. Le chef a été tellement impressionné qu'il a offert à M. Solonyuk le poste d'Howard Smythe. Le père d'Anya a accepté, en se disant qu'il valait mieux avoir un syndicaliste comme lui au poste de gérant. Au bout du compte, tout a bel et bien fini par s'arranger, et il n'a même pas eu besoin de changer de nom.

Mykola a été le moins marqué par le camp d'internement. Il était très doué à l'école et il a terminé ses études secondaires avec les meilleures notes en mathématiques et en sciences. Puis il est parti étudier à l'Université de Toronto. Au bout de quatre ans, Mykola a obtenu son diplôme d'ingénieur, ce qui a fait de lui la première personne de toute la famille à avoir un diplôme universitaire.

Anya ne voulait pas s'avouer qu'elle était jalouse de son frère. Elle tenait à se réjouir de son succès. Elle a donc préparé pour lui le plus parfait des cadeaux. Deux semaines avant la remise des diplômes, elle a demandé à son frère de l'accompagner pour faire des courses et là, elle l'a entraîné dans une boutique très chic de vêtements pour hommes.

« Mon frère a besoin d'un complet », a-t-elle dit au vendeur. Mykola lui a donné un coup de coude dans les côtes en chuchotant : « Je n'ai pas les moyens de me payer un complet dans ce magasin, Anya. » Elle lui a répondu : « Je te l'offre en cadeau. » Puis, en refoulant des larmes de fierté, elle a regardé son petit frère qu'on mesurait pour lui confectionner un magnifique complet noir que même un premier ministre aurait été fier de porter. Il en a coûté quatre mois de salaire à Anya, mais à ses yeux, cela en valait vraiment la peine. Après une seule entrevue que Mykola a passée dans le but d'obtenir un poste d'ingénieur mécanique pour le Canadien National, il a été embauché.

Contrairement à Anya, Mary n'est pas restée à la fabrique de vêtements. Après seulement un mois de travail à cet endroit, on lui a offert un poste d'institutrice à l'école Notre-Dame-des-Anges. En plus d'enseigner à temps plein pendant la journée, elle a travaillé bénévolement le soir, à apprendre l'anglais à de nouveaux immigrants. Un de ses élèves était un jeune homme sérieux, à la barbe brune frisée et aux lunettes à monture de métal. Roman Krawchuk a appris rapidement l'anglais. Mary était impressionnée par son application. Après le dernier cours de l'année, Roman est resté assis à sa place jusqu'à ce que tous les autres élèves soient partis, puis il s'est levé et s'est approché du pupitre de Mary. « Mlle Mary, accepteriez-vous de prendre le thé avec moi? » lui a-t-il demandé, de son meilleur anglais. Mary a souri en hochant la tête. Quelque temps après, ils se sont mariés et sont partis s'installer dans l'Ouest, pour y commencer une nouvelle vie.

Slava, tout comme Mary, n'est pas restée très longtemps à

la fabrique. Mais contrairement à Mary, elle est devenue morose et renfermée. Moins d'un an après avoir été libérée du camp d'internement, elle a quitté son travail. Elle restait à la maison et aidait Baba à faire les lessives, puis un beau jour, elle est partie faire des courses et n'est jamais rentrée à la maison. Les Soloniuk n'avaient aucune idée de l'endroit où elle aurait pu aller, mais ils soupçonnaient qu'elle était partie à la recherche de son père.

Anya a finalement obtenu son diplôme d'études secondaires, mais n'a jamais réalisé son rêve d'aller à l'université. Toutefois, elle a continué à cultiver ses dons artistiques. Son père lui a fabriqué un chevalet et l'a installé devant la plus grande fenêtre de leur logement. Un de ses collègues du syndicat a remarqué un dessin qu'Anya avait fait et qui était très émouvant. On y voyait Slava, toute jeune, assise devant une machine à coudre industrielle, la tête enfouie dans ses bras et le dos arqué par la fatigue. L'homme a acheté le dessin pour cinq dollars et a demandé à Anya s'il pouvait l'utiliser pour une affiche, dans une campagne publicitaire du syndicat. Anya a aussitôt accepté. Ce dessin s'est retrouvé sur les affiches d'une campagne nationale contre l'exploitation des enfants au travail. Anya espérait que Slava verrait cette affiche et lui donnerait de ses nouvelles. Mais si Slava a vu l'affiche et s'y est reconnue, elle n'a jamais donné signe de vie.

Anya et Stefan étaient tous les deux résolus à réussir ce qu'ils avaient entrepris, et même s'ils étaient très occupés, leur amour l'un pour l'autre n'a jamais cessé de grandir. En 1921, après avoir conclu une vente particulièrement lucrative, Stefan s'est rendu dans une bijouterie très chic et a acheté une bague en or blanc, sertie d'une magnifique turquoise. Un genou sur le sol, il a demandé à Anya si elle voulait l'épouser. Anya s'est agenouillée à son tour et a regardé Stefan droit dans les yeux. « Oui, a-t-elle répondu. Je serai ta femme, ton amie et ta compagne pour le reste de mes jours. » Ils se sont mariés en 1923.

Anya a continué de travailler à la fabrique jusqu'à ce qu'elle soit enceinte de leur premier enfant. Halyna est née en 1924. En 1925, Anya a donné naissance à Irena, puis en 1929, à Bohdan, qui a tenu à se faire appeler Robert dès son premier jour d'école.

Anya et Stefan racontaient souvent à leurs enfants des histoires de l'époque du camp d'internement. Halyna, Irena et Robert se jetaient alors des regards incrédules. Il leur semblait impossible que le Canada ait pu emprisonner leurs parents. Ils se disaient que ce n'était qu'une histoire. Lorsqu'ils ont atteint l'adolescence, Anya et Stefan les ont emmenés en auto jusqu'à Spirit Lake. Les bâtiments étaient toujours là, mais l'endroit était devenu une ferme expérimentale établie par le gouvernement. Le cimetière était envahi de broussailles, mais Anya et Stefan y ont emmené leurs enfants et, malgré les mauvaises herbes et la boue, ils se sont tous agenouillés pour prier pour Lyalya, Ivan Gregoriaszchuk et tous les autres prisonniers qui y étaient enterrés. Anya et Stefan ont aussi tenté de retrouver leurs amies pikogan, mais en vain.

Anya a continué de correspondre avec Irena, qui vivait en Alberta. En 1924, Irena a épousé Max, un fermier du voisinage. Au début des années 1930, la Grande Crise a ruiné plusieurs fermiers des environs, dont Irena et Max. Il leur a fallu plusieurs années pour s'en remettre.

Quelques années après la fin de la Première Guerre mondiale, Anya a reçu une lettre de Bohdan Onyshevsky. La voici :

Chère Anya,

Tu es désormais ce que j'ai de plus proche en termes de parenté. J'étais bien loin de deviner, quand nous étions jeunes, que je penserais un jour à toi avec autant d'affection. Je suis content que tu sois au Canada et que tout aille bien pour toi. Si seulement j'avais eu la bonne idée d'envoyer ma pauvre Halyna là-bas avant que la guerre éclate! Mais comment aurais-je pu deviner que cette guerre allait être aussi dévastatrice? Ma chère épouse et notre enfant, Ivanko, sont tous les deux morts durant la guerre. J'aimais Halyna de tout mon cœur et de toute mon âme, et je suis désespéré chaque fois que je songe à mon petit garçon que je n'ai jamais eu la chance d'embrasser. Halyna et Ivanko reposent auprès de ton grand-père et de ton frère. Chaque semaine, je vais déposer des cailloux sur leurs tombes. J'ai aussi appris à jouer du tsymbaly *avec celui de ton frère. Je ne sais pas si je me remarierai un jour. La blessure dans mon cœur est trop profonde. Chère Anya, je te demande de prier pour Horoshova et pour notre patrie. Les temps sont bien durs pour nous.*

Bohdan

Note historique

Début de la Première Guerre mondiale, août 1914

Lorsque la Première Guerre mondiale a éclaté, Horoshova, le village d'Anya, s'est retrouvé coincé entre deux puissants adversaires : d'un côté, l'Autriche-Hongrie, qui considérait que les terres domaniales de la Galicie (y compris Horoshova) et de la Bucovine lui appartenaient, et de l'autre, la Russie, qui voyait ces territoires comme une sorte de « petite Russie ». Peu de temps après le début des hostilités, la Russie a envahi ces régions.

Tandis que l'armée austro-hongroise battait en retraite, les soldats hongrois ont terrorisé la population locale de langue ukrainienne, croyant avoir affaire à des espions russes. L'une des raisons pour lesquelles ils ont agi ainsi était que ces gens se donnaient le nom de « Rus'ki » ou « Rusyn », c'est-à-dire « Ruthéniens », des termes utilisés traditionnellement pour désigner les habitants de la région. Les soldats croyaient que les gens se disaient « Russes ». Des milliers d'Ukrainiens ont donc été fusillés, pendus ou rassemblés et internés dans des camps de prisonniers plus à l'ouest.

À la même époque, les Ukrainiens étaient considérés comme des ennemis par le gouvernement tsariste de la Russie et, en conséquence, les institutions culturelles ukrainiennes ont été abolies. Dans les écoles, on enseignait le russe plutôt que l'ukrainien, et l'Église catholique ukrainienne a été démantelée. De nombreux prêtres, évêques, intellectuels et patriotes ont été exécutés, mais, en juin 1915, tout cela a subitement pris fin parce que l'armée austro-hongroise, aidée de l'Allemagne, a réussi à repousser les Russes. Horoshova, le village d'Anya, était situé dans une petite bande de territoire qui était toujours sous le contrôle de la Russie et qui allait le rester jusqu'à la fin de la guerre, ou presque. Plusieurs Ukrainiens ont réussi à s'immiscer dans les rangs de l'administration tsariste locale, de sorte que la population ukrainienne de la région a moins souffert que si les choses s'étaient passées autrement. Toutefois, durant tout ce temps, de nombreux Ukrainiens se trouvaient internés dans des camps russes ou autrichiens.

Les Ukrainiens nationalistes de Galicie et de Bucovine voulaient obtenir l'autonomie. Ils souhaitaient aussi que les deux parties de la Galicie, la polonaise et l'ukrainienne, soient séparées. Malheureusement, l'Autriche et l'Allemagne étaient plus enclines à satisfaire les désirs de la Pologne, de sorte qu'en novembre 1916, elles ont annoncé qu'elles allaient créer un État polonais avec les territoires qu'elles avaient récupérés de la Russie tsariste. Elles ont déclaré qu'elles verraient aux intérêts ukrainiens, une fois la guerre terminée. Mais tout a basculé en mars 1917, lorsque le régime tsariste a été renversé par les révolutionnaires.

À peu près à la même époque, l'Ukraine a connu une courte période d'indépendance, de mars 1917 à octobre 1920, au cours de laquelle elle a été dirigée par toute une série de gouvernements révolutionnaires. Après 1920, le peuple ukrainien a été réparti entre quatre pays : l'Ukraine soviétique, la Pologne, la Tchécoslovaquie et la Roumanie. En octobre 1920, le gouvernement soviétique a réussi à s'imposer solidement partout en Ukraine centrale et orientale, mais la Galicie est passée à la Pologne, la Bucovine à la Roumanie, et la Transcarpathie, à la Tchécoslovaquie. Le pays n'allait retrouver son unité qu'en 1991.

Les Ukrainiens, le Canada et la Première Guerre mondiale

De 1891 à 1914, environ 170 000 Ukrainiens ont immigré au Canada.

La plupart sont venus des provinces de Galicie et de Bucovine, qui faisaient partie de l'Autriche-Hongrie. Certains partaient afin de ne pas être forcés de s'enrôler dans l'armée austro-hongroise, et d'autres, pour se libérer de leurs dettes ou dans l'espoir d'une vie meilleure dans un nouveau pays. La parcelle de terre que ces fermiers possédaient là-bas leur permettait à peine de survivre. Pour augmenter leur revenu, ils louaient d'autres terres. Or, la plupart des terres de Bucovine et de Galicie appartenaient à des aristocrates polonais. Ces riches propriétaires terriens louaient effectivement des terres aux familles pauvres, mais exigeaient des loyers excessivement élevés.

Comme les paysans de l'Europe de l'Est avaient la réputation d'être des fermiers compétents et des travailleurs acharnés, et comme le gouvernement canadien souhaitait développer l'ouest du pays, le Canada a invité ces fermiers à immigrer, de 1896 à 1905. La grande majorité des Ukrainiens se sont établis dans les Prairies, mais certains, comme la famille d'Anya, se sont installés à Montréal et dans d'autres grandes villes. En 1914 et 1915, la communauté ukrainienne de Montréal comptait à peine 500 personnes, dans une ville de plus d'un demi-million d'habitants. La majorité de ces immigrants ukrainiens venaient de l'Autriche-Hongrie, et quelques-uns seulement, des parties de l'Ukraine qui étaient sous le contrôle de la Russie tsariste.

Les immigrants ukrainiens qui se sont installés à Montréal connaissaient mieux la situation politique que ceux qui s'étaient établis dans les Prairies parce que, dans ce contexte urbain, ils devaient s'adapter à leur nouveau milieu d'une manière différente. Les Ukrainiens qui s'établissaient dans les Prairies devaient lutter quotidiennement pour leur survie sur des terres qui étaient proches les unes des autres, mais souvent très éloignées de celles des autres Canadiens. Les immigrants ukrainiens installés à Montréal, par contre, travaillaient comme ouvriers et devaient donc lutter, non pas pour survivre physiquement, mais pour trouver une façon de briser leur isolement social. Comme ils ne parlaient ni le français ni l'anglais et qu'ils habitaient dans les quartiers les plus pauvres, les Ukrainiens de Montréal avaient une bonne raison de constituer rapidement des organismes d'entraide. Les premiers qui ont été fondés n'avaient aucun lien avec l'Église, contrairement aux premiers organismes qu'ont établis les Ukrainiens des Prairies. Les organismes montréalais adhéraient tous à l'idéologie de la Drahomanov Society, qui était anticléricale et prônait le socialisme et l'indépendance en Ukraine. Dans la plupart des cas, les immigrants ukrainiens de Montréal se sont considérés comme Ukrainiens, bien avant l'existence d'une Ukraine indépendante.

Quand la Première Guerre mondiale a éclaté, beaucoup d'entre eux ne savaient pas s'ils devaient retourner chez eux pour défendre leur pays ou combattre pour le Canada, leur nouvelle patrie. Ils ont été nombreux à s'enrôler dans les Forces armées canadiennes et à se battre pour leur pays d'adoption. Ceux qui étaient entrés au pays avec un passeport russe ont pu s'enrôler dans l'armée canadienne. Les autres ont pris des noms comme Smith ou Jones, ou encore ont menti au sujet de leur véritable origine afin de pouvoir se battre pour le Canada. Un caporal du nom de Filip Konowal a reçu la Croix de Victoria, en reconnaissance de sa bravoure.

En 1914, le gouvernement canadien a adopté la *Loi sur les mesures de guerre*. Par conséquent, 8 579 immigrants ont été considérés comme des « sujets d'un pays ennemi » et ont été internés dans 24 camps dispersés dans tout le pays. Environ 6 000 de ces prisonniers étaient ukrainiens; les autres étaient polonais, bulgares, turcs, roumains, juifs, croates ou serbes. À leur arrivée dans les camps d'internement, les prisonniers devaient céder portefeuilles, montres de gousset et autres objets de valeur sentimentale ou matérielle. Un autre contingent de 80 000 personnes (des Ukrainiens pour la plupart) a dû s'inscrire auprès des autorités, en tant que « sujets d'un pays ennemi », et se présenter régulièrement devant les autorités. Les immigrants qui avaient déjà obtenu le statut de citoyens britanniques n'ont pas été internés. Toutefois, dans certains cas, des citoyens naturalisés ont été internés, en dépit des dispositions de la Loi. C'est ainsi que même des enfants nés au Canada ont été internés. Par exemple, Carolka Manko, qui était née à Montréal, est morte dans le camp d'internement de Spirit Lake, à l'âge de deux ans.

On ne connaît toujours pas les raisons exactes pour lesquelles le gouvernement a décidé d'interner des milliers d'immigrants ukrainiens. Le gouvernement britannique avait pourtant assuré au gouvernement canadien que, n'étant pas des sujets autrichiens, les Ukrainiens n'étaient pas des ennemis. Mais, au fur et à mesure que la guerre avançait, un mouvement d'hystérie collective envers les étrangers s'est répandu dans la population canadienne. Des employeurs ont mis à pied certains de leurs employés pour des raisons de « patriotisme », en particulier dans l'Ouest. De plus, à cause d'une récession, beaucoup de gens ont perdu leur emploi, ce qui a fait que de nombreux Ukrainiens se sont retrouvés sans travail ni toit.

Il est encore plus difficile de comprendre pourquoi le Canada a décidé de contraindre aux travaux forcés des gens qui n'avaient rien fait de mal. Certaines municipalités voulaient tout simplement tirer profit de cette main-d'œuvre bon marché et, en même temps, éviter d'avoir à les soutenir financièrement. Deux ans après la fin des hostilités, des centaines d'hommes étaient toujours détenus dans les camps.

Quand les prisonniers ont été relâchés, ils s'attendaient à récupérer leurs effets personnels, mais dans bien des cas, ce n'est pas ce qui est arrivé. De plus, on avait dit aux hommes que, durant leur internement, ils recevraient un salaire quotidien de 25 cents, ce qui correspondait au tarif accordé aux prisonniers de guerre (c'est-à-dire les soldats ennemis faits prisonniers), pour les travaux qu'on les forçait à exécuter. Ce montant était nettement inférieur au salaire journalier normal de l'époque. Malgré cela, nombreux sont ceux qui n'ont jamais reçu cette somme dérisoire. À leur libération, beaucoup des prisonniers étaient amers. Certains ont même quitté le Canada.

Des Allemands ont aussi été internés au Canada, durant la Première Guerre mondiale. Mais, à l'opposé des Ukrainiens qui étaient considérés comme des gens « de seconde classe » et forcés de travailler dans des conditions souvent abominables, les Allemands jouissaient vraiment d'un statut de « première classe ». Ils n'avaient pas à travailler, et certains vivaient dans de petites maisons plutôt que dans des baraquements. Ils pouvaient emmener des domestiques avec eux, et certains avaient même un jardin privé. On leur versait aussi une allocation qu'ils pouvaient utiliser pour acheter du thé, des friandises, du tabac et d'autres biens de luxe. Un de ces prisonniers allemands a même réussi à apporter sa provision personnelle de caviar!

Des 24 camps qui ont été établis, seul celui de Spirit Lake a accueilli des femmes et des enfants ukrainiens. Ailleurs, c'étaient principalement des hommes célibataires. Le camp de prisonniers de Vernon, en Colombie-Britannique, a hébergé quelques Allemands avec leurs femmes et leurs enfants, mais comme ils étaient considérés comme des prisonniers « de première classe », leurs conditions de détention étaient plus qu'acceptables. Les prisonniers ukrainiens du même camp étaient tous des hommes et ont tous été traités comme des prisonniers de « seconde classe ».

En 1917, alors que la guerre se poursuivait toujours, le gouvernement a retiré le droit de vote aux Ukrainiens qui n'avaient pas été naturalisés avant 1902, de crainte de perdre les élections. Ces citoyens n'ont récupéré leur droit de vote qu'en 1919.

Reconnaissance et indemnisation

De nombreux prisonniers internés dans des camps, durant la Première Guerre mondiale, étaient si amers et si humiliés qu'ils ont caché cette partie de leur histoire à tout le monde, même à leurs propres enfants. De plus, le gouvernement a détruit tous les dossiers d'internement, sauf les dates de libération des prisonniers. Ces premières opérations de détention effectuées par le gouvernement du Canada ont été révélées en 1977 par Lubomyr Luciuk, à la suite de recherches qu'il avait faites à propos de la géographie historique des Ukrainiens de Kingston. Par la suite, un organisme ayant pour nom la Ukrainian Canadian Civil Liberties Association (association pour les droits et libertés des Canadiens d'origine ukrainienne) a demandé au gouvernement fédéral de reconnaître que ces opérations de détention avaient été injustes et de s'engager à ne plus jamais emprisonner qui que ce soit, à cause de son pays d'origine.

Pendant huit ans, Inky Mark, député conservateur du comté de Dauphin-Swan River-Marquette au Manitoba, a fait des pressions sur le gouvernement pour que celui-ci admette l'internement des Ukrainiens. En novembre 2005, juste avant la chute du gouvernement libéral, le projet de loi C-331 émanant du député Inky Mark a été adopté.

Suivant les dispositions de cette loi, le Canada est tenu de reconnaître que des milliers de Canadiens d'origine ukrainienne ont été injustement internés et privés de leur droit de vote au Canada durant la Première Guerre mondiale; de fournir des fonds afin que puissent être commémorés publiquement les préjudices subis par ces

Canadiens; et de produire du matériel didactique portant sur cette sombre période de l'histoire du Canada. En 2006, le gouvernement conservateur a réservé deux millions et demi de dollars pour financer des plaques commémoratives et d'autres projets visant à rappeler ces événements. Le but de l'opération est de faire connaître à tous les Canadiens cet épisode des premières opérations de détention effectuées par le gouvernement canadien, afin que plus jamais le Canada n'emprisonne une personne, en raison de son pays d'origine.

Cette affiche du ministère de l'Immigration du Canada, écrite en ukrainien, promet 160 acres de terre à ceux qui voudront venir s'installer au Canada et dit aussi que, dans l'Ouest canadien, il y a 200 millions d'acres de terre à distribuer.

Immigrants galiciens dans une gare, après leur arrivée au Québec, en 1905. (Ci-dessous) Classe ukrainienne en Alberta, en 1920

Terrain d'exercice, au centre du camp d'internement de Spirit Lake. À l'avant-plan, on peut voir un mur de pierres construit par les prisonniers. À l'arrière-plan se trouvent des bâtiments destinés aux soldats, dont deux baraquements.

Prisonniers en train de scier du bois, près du camp de Spirit Lake

Groupe de travailleurs au camp d'internement de Castle Mountain, en Alberta, en 1915

Enfants internés à Spirit Lake

Prisonniers posant devant une des habitations du camp des personnes mariées, au camp d'internement de Spirit Lake

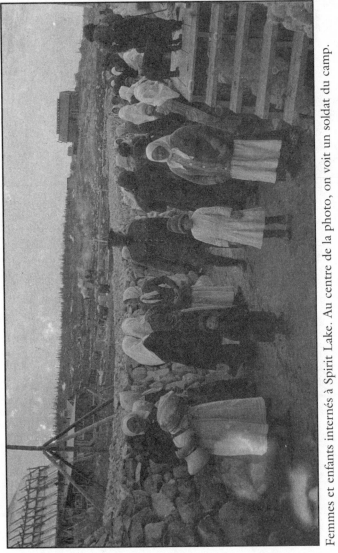

Femmes et enfants internés à Spirit Lake. Au centre de la photo, on voit un soldat du camp.

Prisonnier en train de pelleter un banc de neige
qui est plus haut que lui

Ce carnet de la milice du camp de Spirit Lake décrit la vie quotidienne des prisonniers. La plupart des documents appartenant au gouvernement canadien ont été détruits. John Perocchio a trouvé celui-ci en 1996, dans un marché aux puces. Il l'a payé 50 ¢.

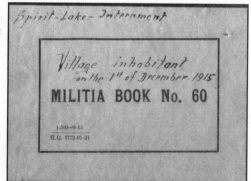

Spirit-Lake - Internment

Village inhabitant
on the 1st of December 1915
MILITIA BOOK No. 60

1.500—9-15
H.Q. 1772-61-21

House Nᵒ 21 27 / Ration Nᵒ 2 / Register Nᵒ 46X

Name of the Runner and his Wife	Shoe Size	Name of the Children	Age	Shoe Size
Betsy Andrew	9	Kasimier	3 yrs	7
Mary	8	Frank	2 yrs	6
Aged 12		Jeannette	1 year	dead

Ration issued 32 meel Flannelette, 3yard Bleed Farmer, 3hanks Woolen orate, 3 lb lard 8 cup fr stitcher, 1pair of Blanquets, 1cup fr mary, 1 Blanket, 1 Handkerchief, 1 Handkerchief,
1pair of Socks, 1pair of an Wlems, 1 Waterkrut, 1 Woolen Warmers,
Lummery, 1 pair, 3 Socks, 1pair of an animal woolen, 1Toys Arid
February, 1 Mrs. H martin Mr Hose
April 25ᵗʰ, 1 flax trunk

Dans le carnet nᵒ 60 de la milice sont consignés, pour chaque prisonnier : l'âge, la taille, la pointure, le matériel fourni, etc. Sur la page ci-dessus, le nom d'un enfant mort au camp a été raturé.

Morceau de tôle poinçonné, utilisé pour marquer une tombe et retiré du cimetière des prisonniers de Spirit Lake, en 1945. L'inscription en polonais dit ceci : « Ci-gît Jan Babi, mort le 29 mars 1916 ».

Tentes de la communauté pikogan, près du camp d'internement de Spirit Lake

226

This is to certify that I, ~~~~~~~~~~ im Bojko ~~~~~~~~~~ Austria,

a subject of ~~~~~~~~~~~~~~~~~~~~~~~~~~~~~~~~~~~~~ Spirit Lake, Que.

who was interned as a prisoner of war in Canada at ~~~~~~~~~~~~~~~~

~~~~~~~~~~~~~~~~~~~~~~~~~~~~~~~~~~~~~~, described for identification as

follows:-

44 years	5'6"	165 lbs.
Age	Height	Weight

Fresh	Brown	Hazel.
Complexion	Hair	Eyes

Marks ~~~~~~

have been discharged from internment subject to the following con-

ditions:-

    1. That I will not leave Canada during the period of hos-

tilities without an exeat issued by competent authority.

    2. That I will observe the laws of the country, abstain from

espionage or any acts or correspondence of a hostile nature or in-

tended to give information to or assist the enemies of the British

Empire:

Dated at ~~~~Spirit Lake, Que.~~ this ~~~~Fourteenth~~~~ day

of ~~~~June~~~~ 1916.

Maksym Bojko Signature

Witness ~~~~~~~~~~~~~~~~~~~~~~ Lieut.

Adjutant,

Internment Camp Spirit Lake, Que.

INTERNMENT OPERATIONS
JUN 16 1916
OTTAWA

Page du certificat de libération de Maksym Boyko. Selon la condition n° 2, il devait « s'abstenir de tout acte d'espionnage et de tout acte ou correspondance de nature hostile ».

Monument érigé à Spirit Lake, en l'honneur
de ceux qui y ont été internés

Glossaires

Ukrainien

Baba : grand-mère

babka : pain sucré, préparé traditionnellement
   pour Pâques

borshch : soupe à la betterave

chytalnya : salon de lecture

Dido : grand-père

gerdan (pluriel *gerdany*) : collier fait de perles de verre
   assemblées en un motif très élaboré

holubtsi : cigares au chou

kamizelka : gilet

kasha : sarrazin cuit

khrustyk (pluriel *khrustyky*) : sorte de biscuit fait
   de pâte frite

kolach : brioche tressée en forme de couronne

kolomyika : danse traditionnelle très animée, au cours de
   laquelle les spectateurs forment un cercle et tapent des
   mains tandis que les danseurs s'avancent au centre et
   essaient de faire mieux que les danseurs précédents

krashanka (pluriel *krashanky*) : œuf dur qu'on teint
   pour Pâques

kutya : bouillie de blé, de graines de pavot, de miel
   et de noix, qu'on prépare pour Noël

kystka : outil servant à appliquer la cire chaude
   sur les œufs

Mnohaya Lita : chanson dans laquelle on souhaite
   longue vie à quelqu'un

nalysnyky : crêpes

provody : procession religieuse en l'honneur d'un défunt

pyrohy : pâte farcie, appelée pirojki en français

pysanka (pluriel *pysanky*) : œuf non bouilli qu'on décore
  pour Pâques, en utilisant une technique de réserve
  à la cire avant teinture

Rizdvo : le jour de Noël

rushnyk (pluriel *rushnyky*) : pièce de tissu brodée,
  portée dans les grandes occasions

studenetz : poisson en gelée

Svyat Vechir : veille de Noël (littéralement
  « sainte nuit »)

Tato : père, papa

toloka : corvée de construction

tsymbaly : instrument traditionnel fait de cordes d'acier
  tendues sur une caisse, sur lesquelles on frappe avec
  deux petits maillets

Veselykh Svyat : Joyeuses Fêtes

Vichnaya Pamyat : complainte ukrainienne chantée lors
  de funérailles ou de cérémonies commémoratives

vushka : pâtes farcies aux champignons

Allemand

kronen : monnaie autrichienne

Irlandais

maimeo : grand-mère

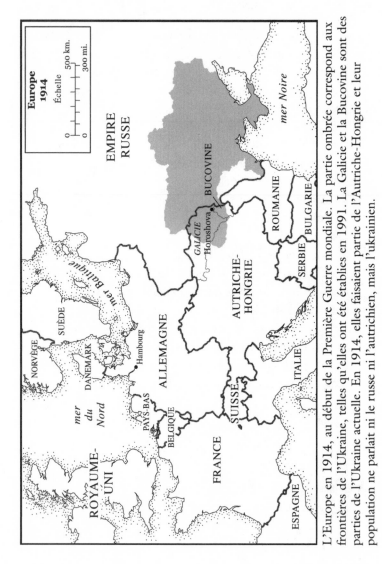

L'Europe en 1914, au début de la Première Guerre mondiale. La partie ombrée correspond aux frontières de l'Ukraine, telles qu'elles ont été établies en 1991. La Galicie et la Bucovine sont des parties de l'Autriche-Hongrie. En 1914, elles faisaient partie de l'Autriche-Hongrie et leur population ne parlait ni le russe ni l'autrichien, mais l'ukrainien.

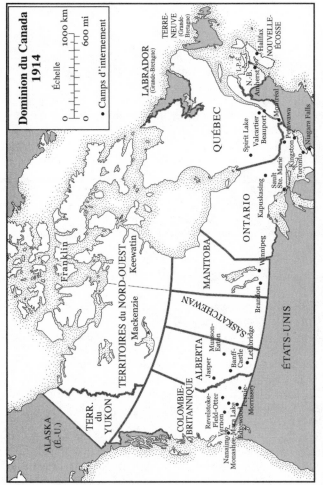

Dominion du Canada 1914

Échelle

0 — 1000 km
0 — 600 mi

• Camps d'internement

ALASKA (É.-U.)

TERR. du YUKON

COLOMBIE-BRITANNIQUE

Nanaimo
Monashee-Mara Lake
Vernon
Edgewood-Fernie
Morrissey
Revelstoke
Field-Otter

Franklin

TERRITOIRES du NORD-OUEST
Mackenzie
Keewatin

ALBERTA
Jasper
Munson-Eaton
Banff-Castle
Lethbridge

SASKATCHEWAN

MANITOBA
Brandon
Winnipeg

LABRADOR (Grande-Bretagne)

TERRE-NEUVE (Grande-Bretagne)

QUÉBEC
Spirit Lake
Valcartier
Beauport
Montréal

ONTARIO
Kapuskasing
Sault Ste. Marie
Kingston
Toronto
Petawawa
Niagara Falls

Halifax
Amherst
N.-B.
Î.-P.-É.
NOUVELLE-ÉCOSSE

ÉTATS-UNIS

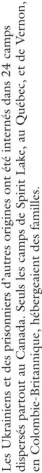

Les Ukrainiens et des prisonniers d'autres origines ont été internés dans 24 camps dispersés partout au Canada. Seuls les camps de Spirit Lake, au Québec, et de Vernon, en Colombie-Britannique, hébergeaient des familles.

Remerciements

Couverture, en médaillon : Jeune immigrante galicienne tenant une enveloppe marquée Red Star Line. Saint-John, N.-B., mai 1905, Bibliothèque et Archives Canada, C-063254.

Couverture, arrière-plan : Officier sur le quai d'une gare, le fusil posé sur l'épaule, surveillant l'arrivée d'un train, R. Palmer/Bibliothèque et Archives Canada, PA-170492.

Page 221 : 160 acres de terre offerts gratuitement, Bibliothèque et Archives Canada, C-006196.

Page 222 (haut) : Immigrants galiciens, vers 1905, John Woodruff/ Bibliothèque et Archives Canada, C-005610.

Page 222 (bas) : Écoliers du district scolaire n° 1515, à Frank, en Alberta, vers 1920, Gushul Family Fonds/Archives Glenbow, NC-54-4198.

Page 223 : Des centaines de prisonniers rassemblés au centre du camp d'internement, R. Palmer/Bibliothèque et Archives Canada, PA-170457.

Page 224 (haut) : Hommes avec une scie, gracieuseté de la Spirit Lake Camp Corporation.

Page 224 (bas) : Prisonniers de guerre dans un camp d'internement, Castle Mountain, Alberta, 1915, Archives Glenbow, NA-3959-2.

Page 225 (haut) : Enfants de prisonniers du camp d'internement de Spirit Lake, Bibliothèque et Archives Canada, PA-170470.

Page 225 (bas) : Prisonniers du camp d'internement de Spirit Lake avec les membres de leur famille, Bibliothèque et Archives Canada, PA-170623.

Page 226 : Femmes et enfants prisonniers dans un camp d'internement, Bibliothèque et Archives Canada, PA-170620.

Page 227 (haut) : Prisonnier en train de pelleter un passage dans un banc de neige, Bibliothèque et Archives Canada, PA-170641.

Page 227 (bas) et page 228 : Carnet de la milice n° 60, couverture et une page, gracieuseté de John Perocchio.

Page 229 (haut) : Pierre tombale, gracieuseté de Sandra Semchuk.

Page 229 (bas) : Photo qu'on a intitulée « tentes du camp de prisonniers, sur les rives de Spirit Lake » (en réalité, camp pikogan, situé près du camp d'internement), R. Palmer/Bibliothèque et Archives Canada, PA-170467.

Page 230 : Partie du certificat de libération de Maksym Boyko, gracieuseté d'Otto Boyko.

Tous les croquis, ainsi que la photo de la page 231 : Gracieuseté de l'auteure.

Pages 234 et 235 : Cartes, gracieuseté de Paul Heersink. Carte du Canada : données © 2002, Gouvernement du Canada, avec la permission de Ressources naturelles Canada.

L'éditeur tient à remercier Barbara Hehner, pour sa révision attentive du manuscrit, et Sophia Kachor, pour sa vérification de l'orthographe et de la traduction des mots et expressions en ukrainien.

Nous devons beaucoup à Orest Martynowych, auteur de *Ukrainians in Canada : The Formatives Years, 1891-1924*. Sa lecture critique de notre manuscrit, étayée de remarques détaillées, nous a été extrêmement utile, même dans les parties où nous avons choisi de donner une interprétation des faits différente de la sienne. Nous remercions également Frances Swyripa, Ph.D., auteure de *Wedded to the Cause : Ukrainian-Canadian Women and Ethnic Identity 1891-1991* et de *Ukrainian Canadians*, et coauteure de *Loyalties in Conflict : Ukrainians in Canada during the Great War*, pour sa lecture critique de notre « Note historique ».

Ce livre est dédié à la mémoire
de mon grand-père,
George Forchuk (Yurij Feschuk),
qui a été interné au camp de Jasper, en Alberta,
durant la Première Guerre mondiale.
Dido, on ne t'oublie pas.

Mille mercis aux personnes ci-dessous,
qui m'ont fourni de précieux éléments d'information :
Lubomyr Luciuk, Ph. D., Yurij Luvovy,
Zorianna Hrycenko-Luhova, Peter Melnycky,
Sandra Semchuk, Brenda Christian, Andrea Malysh,
Maria Rypan, Ghyslain Drolet, Myron Momryk,
Margriet Ruurs, Desmond Morton, Ph.D., Olga Temko,
Walter Kowal, docteur en médecine dentaire, Olga Kowal,
Mary Moroska, Orysia Tracz, Connie Bilinsky,
Linda Mikolayenko, Larry Warwaruk, Danny Evanishen,
Paulette MacQuarrie, Denys Hlinka, Ph.D.,
Gerry Kokodyniak, Roman Zakaluzny, Orest Martynowych,
Frances Swyripa, Ph.D., Dr Orest Skrypuch
et Dorothy Forchuk.

Sincères remerciements à tous les merveilleux
jeunes critiques qui ont participé à la Compuserve's
Books and Writers Community.

Un gros merci et toute ma gratitude
à Sandy Bogart Johnston, une éditrice hors pair,
à Diane Kerner pour toute l'aide et le soutien qu'elle
m'a apportés et, comme toujours,
à mon agent Dean Cooke, grâce à qui tout est possible.

Quelques mots à propos de l'auteure

Enfant, Marsha Skrypuch a surpris des bribes de conversation à propos de son grand-père, de qui on disait qu'il avait été emprisonné sans aucune raison. Elle a donc demandé des explications à son père. Ce dernier lui a raconté des anecdotes passionnantes au sujet de son grand-père, mais sans répondre vraiment à sa question. Quand elle demandait des éclaircissements à ses tantes et à ses oncles, ils refusaient d'en parler. Puis, à la fin des années 1980, Marsha a lu dans le *Globe & Mail*, une lettre d'un lecteur, Lubomyr Luciuk, à propos de l'internement des Ukrainiens pendant la Première Guerre mondiale. Elle a tout de suite téléphoné à son père pour lui demander s'il avait entendu parler de cette histoire. Son père a soupiré, puis a répondu : « Bien sûr que oui. Que pensais-tu qu'il était arrivé à Dido? »

À cette époque, le grand-père de Marsha était déjà mort. Elle s'est donc assise avec son père et l'a bombardé de questions. Elle a ainsi appris que George Forchuk, connu à l'époque sous le nom de Yurij Feschuk, avait été interné au camp de Jasper, en Alberta. Il était arrivé au Canada en 1912, en provenance de la Bucovine, et avait obtenu d'excellentes terres agricoles dans la région de Hairy Hill et Willingdon, en Alberta. Comme le voisin d'Irena, il était célibataire. Comme le père et le voisin d'Irena, il devait se présenter régulièrement aux autorités afin de faire estampiller sa carte l'identifiant comme « sujet d'un pays ennemi ».

Comme le voisin d'Irena, le grand-père de Marsha a été arrêté au cours d'une visite aux bureaux des autorités et a été emmené au camp d'internement de Jasper. Comme le père de Stefan, Ivan Gregoraszczuk et tant d'autres, Yurij trouvait les conditions de vie intolérables au camp d'internement. Il travaillait du matin au soir, même sous les températures les plus froides. Au camp de Jasper, il a appris, entre autres choses, à « transporter un billot de 15 pieds sur ses épaules, au pas de course ».

Un soir, il a décidé qu'il était temps pour lui de partir. À la fin de la journée, au lieu de retourner au camp d'internement avec les autres prisonniers, il s'est enfui dans les bois. Il pouvait entendre les balles des soldats siffler à ses oreilles, mais il n'a pas été touché. Il a vécu dans la forêt pendant quelque temps, puis il a changé de nom et s'est rendu dans la région de Lethbridge, où il a travaillé dans les mines de charbon. Il s'est fait le plus discret possible jusqu'en 1918. Un jour, il a eu la surprise d'apercevoir l'un des autres prisonniers qui marchait dans la rue. À cette époque, tout le monde devait porter un masque, en raison de l'épidémie de grippe espagnole, mais Yurij a baissé le sien afin de parler à son ancien camarade. Un policier qui l'a vu faire lui a imposé une amende de deux dollars. Tout en comptant l'argent, Yurij a dit au policier : « J'aime autant vous le dire : je suis aussi un évadé d'un camp d'internement. » Le policier l'a regardé, l'air perplexe. Le compagnon de détention a alors expliqué à Yurij que les prisonniers de Jasper avaient été relâchés 18 mois plus tôt. C'est ainsi que Yurij a appris qu'il était libre.

Yurij est retourné sur ses terres de la région de Willingdon, mais il a été surpris d'apprendre que sa ferme avait été vendue et que ses bêtes avaient été distribuées à ses voisins. Il s'est aussi rendu compte que les gens de la région étaient persuadés qu'il avait fait quelque chose de mal. Sinon, pourquoi aurait-il été interné? Les terres de la région de Willingdon étaient parmi les meilleures de la province. Il n'en restait plus à vendre et, même s'il y en avait eu, Yurij n'avait pas envie de rester dans cette région et, de toute façon, il n'avait pas assez d'argent pour y acheter une autre terre. Il a donc quitté l'endroit pour de bon et a épargné suffisamment d'argent pour acheter une terre ailleurs. Les bonnes terres étant devenues trop chères, Yurij a dû acheter une terre de moins bonne qualité située entre Myrnam et St. Paul. Ce n'est qu'en 1939, soit un quart de siècle après avoir été interné, que Yurij a réussi à économiser assez d'argent pour pouvoir acheter une terre à Innisfree, dont la qualité était comparable à celle qu'il avait perdue en 1914.

En novembre 2004, Marsha a fait le long voyage jusqu'à l'emplacement de l'ancien camp d'internement de Spirit Lake. La voie ferrée n'existant plus depuis longtemps, elle a pris l'avion jusqu'à Val-d'Or, puis a loué une voiture pour se rendre à Amos, où elle a rencontré Ghislain Drolet. Ce dernier travaille, depuis plusieurs années, à mettre sur pied un centre d'exposition didactique au sujet du camp de Spirit Lake. Il a d'abord mené Marsha au cimetière de Spirit Lake, qui est maintenant abandonné et envahi par les broussailles.

Mary Manko, la personne sur laquelle l'auteure a fondé le personnage d'Anya Soloniuk, n'avait que six ans quand sa famille et elle ont été expulsées de leur logis de Montréal et emmenées au camp d'internement de Spirit Lake. La petite sœur de Mary, Carolka, est morte au camp, à l'âge de deux ans. Au moment de mettre sous presse la version originale anglaise de ce livre (en 2007), Mary Manko était nonagénaire et la dernière survivante connue des Ukrainiens internés.

Lors de son passage à Spirit Lake, Marsha a aussi visité le centre communautaire de Pikogan. Peu d'objets étaient exposés, mais il y avait tout de même une carte montrant les territoires de chasse traditionnels de la communauté des Pikogan, au début du XXe siècle. Marsha a donc pu vérifier que son Anya pouvait très bien avoir rencontré des gens de cette communauté. Dans un magasin de Val-d'Or où on vend des pièces d'artisanat authentiques des Pikogan, notamment des broderies de perles de verre, elle a vu des motifs semblables à ceux qui étaient utilisés par les Pikogan, en 1914. Marsha a même acheté un collier de perles de verre qui ressemblait beaucoup à un *gerdan* ukrainien.

Marsha est l'auteure de nombreux romans et albums jeunesse, dont plusieurs ont été primés.

× × × × × ×
 × × × × × ×
× × × × × ×

Les événements relatés dans ce livre se sont vraiment produits. Toutefois, les personnages sont fictifs, sauf M. Foster, le soldat Palmer, Ivan Gregoraszczuk, le Père Redkevych, le Père Perepelytsia et mon grand-père, Yurij Feschuk.

Le personnage d'Anya n'aurait jamais pu voir le jour dans ces pages sans la contribution de plusieurs personnes. D'abord et avant tout, je rends hommage à Mary Manko Haskett, dernière survivante de la communauté ukrainienne de Montréal, qui a été internée au camp de Spirit Lake. L'histoire personnelle de Mary Manko et celle de sa sœur Carolka, qui est morte au camp, de même que celle d'une autre petite fille internée là-bas, Stephania Pawliw, ont été ma source d'inspiration.

Je souhaite aussi remercier Otto Boyko, dont le père a été interné à Spirit Lake, et mon propre père, Marsh Forchuk, pour sa narration détaillée et pour avoir accepté de me parler de mon grand-père, malgré la peine que ces souvenirs pouvaient lui causer.

– M. S.

Bien que les événements évoqués dans ce livre, de même que
certains personnages, soient réels et véridiques sur le plan historique,
le personnage d'Anya Soloniuk est une pure création de l'auteure,
et son journal est un ouvrage de fiction.

×××

Catalogage avant publication de Bibliothèque et Archives Canada

Skrypuch, Marsha Forchuk, 1954-
[Prisoners in the promised land. Français]
Prisonniers de la grande forêt : Anya Soloniuk,
fille d'immigrants ukrainiens, Spirit Lake, Québec, 1914 /
Marsha Forchuk Skrypuch ; texte français de Martine Faubert.

(Cher journal)

ISBN 978-0-545-98823-0

1. Guerre mondiale, 1914-1918--Canada--Romans, nouvelles, etc.
pour la jeunesse. 2. Canadiens d'origine ukrainienne--Évacuation
et relogement, 1914-1920--Romans, nouvelles, etc. pour la jeunesse.
3. Immigrants--Canada-- Romans, nouvelles, etc. pour la jeunesse.
I. Faubert, Martine II. Titre. III. Title : Prisoners in the promised land.
Français. IV. Collection.

PS8587.K79P7514 2008   jC813'.54   C2008-903710-3

Édition publiée par les Éditions Scholastic,
604, rue King Ouest, Toronto (Ontario) M5V 1E1.

5 4 3 2 1   Imprimé au Canada   08 09 10 11 12

×××

Le titre a été composé en caractères Gloucester MT Extra Condensed.
Le texte est en caractères Galliard.

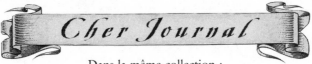

Cher Journal

Dans la même collection :

Seule au Nouveau Monde
Hélène St-Onge,
Fille du Roy
Maxine Trottier

Une vie à refaire
Mary MacDonald,
fille de Loyaliste
Karleen Bradford

Adieu, ma patrie
Angélique Richard,
fille d'Acadie
Sharon Stewart

Ma sœur orpheline
Au fil de ma plume,
Victoria Cope
Jean Little

Un océan nous sépare
Chin Mei-ling,
fille d'immigrants chinois
Gillian Chan

Mon pays à feu et à sang
Geneviève Aubuchon,
au temps de la bataille des plaines d'Abraham
Maxine Trottier

Mes frères au front
Élisa Bates,
au temps de la Première Guerre mondiale
Jean Little

Entrée refusée
Déborah Bernstein,
au temps de la Seconde Guerre mondiale
Carol Matas

Des pas sur la neige
Isabelle Scott
à la rivière Rouge
Carol Matas

Une terre immense à conquérir
Le journal d'Evelyn Weatherall,
fille d'immigrants anglais
Sarah Ellis

Le temps des réjouissances
Dix récits de Noël

Un vent de guerre
Suzanne Merritt,
déchirée par la guerre de 1812
Kit Pearson

Si je meurs avant le jour
Fiona Macgregor,
au temps de la grippe espagnole
Jean Little